SWEDEN IN COLOUR/SCHWEDEN IN FARBEN/LA SUÈDE EN COULEURS

Sverige i färg

ETT BILDSVEP I FÄRG FRÅN SVENSKA BYGDER

A COLOUR SURVEY OF SWEDISH TOWNS AND LANDSCAPES

EIN FARBBILDERWERK SCHWEDISCHER LANDSCHAFTEN UND STÄDTE

CHOIX DE VUES NATURELLES DES VILLES ET PROVINCES SUÉDOISES

Grako AB Stockholm

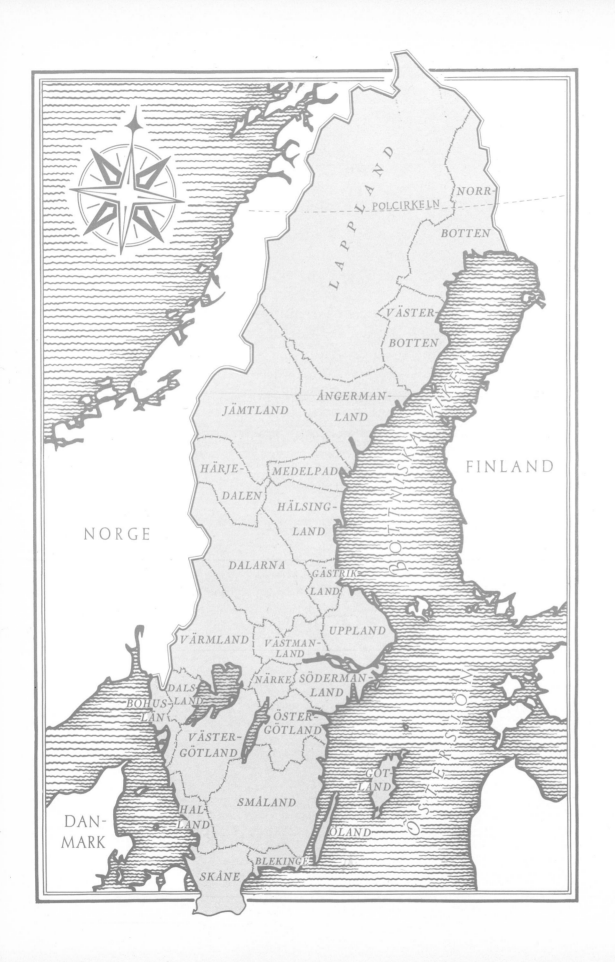

SVERIGE I FÄRG

är en bildkavalkad genom vårt vidsträckta land från sydligaste Skåne till nordligaste Lappland — från bördiga slätter och soldränkta stränder till karga ödemarker med majestätiska fjäll täckta av evig snö. Men den avser också att låta oss ana flydda seklers trägna arbete och ge oss bilder av gången svensk kultur samtidigt som Sverige av i dag speglar sitt ansikte i motiven. Självfallet måste motivvalet bli ytterligt begränsat inom ramen för en bok som denna. Avsikten är endast att ge Dig, som önskar känna vårt land, en snabborientering för att Ditt öga sedan på de platser, som lockar Din fantasi, må fånga tusende och åter tusende bilder på ett sådant sätt, som den bästa kamera aldrig förmår.

SWEDEN IN COLOUR

is a pictorial cavalcade of this vast country, from Scania in the south to Lapland in the north — from fertile plains and sun-drenched beaches to barren wastes with majestic mountains covered in eternal snow. But it is also designed to give us some idea of the assiduous labour of past centuries and to present us with pictures of Swedish culture of the past, with the face of present-day Sweden reflecting itself in the theme. In a book of this kind, the choice of subject matter must of course be limited. Our purpose is only to give you, the reader wishing to know something of our country, a brief survey of it, so that you may later capture with the eye countless thousands of glimpses of places which have inspired your imagination, in a way which not even the best camera can ever hope to do.

SCHWEDEN IN FARBEN

ist ein Streifzug in Bildern durch unser langgestrecktes Land, von Schonen im Süden bis nach Lappland im Norden — von fruchtbaren Ebenen und sonnenheissen Ufern bis zu kargen Einöden mit ihren von ewigem Schnee bedeckten, majestätischen Berggipfeln. Das Buch will uns aber auch die emsige Arbeit vergangener Jahrhunderte ahnen lassen, uns Bilder ursprünglicher schwedischer Kultur vermitteln und gleichzeitig das moderne Schweden in seinen Motiven widerspiegeln lassen. Ein Buch dieser Art muss sich bei der Wahl seiner Motive natürlich in sehr engen Grenzen halten. Es will all denen, die unser Land kennenlernen wollen, nur einen Überblick geben, damit sie dann mit eigenem Auge, an Ort und Stelle, tausend und aber tausend Eindrücke sammeln können, wie sie die beste Kamera nie zu vermitteln vermag.

LA SUÈDE EN COULEURS

est une sélection d'images de l'ensemble du pays s'allongeant de l'extrême sud de la Scanie jusqu'au nord de la Laponie: une succession de plaines fertiles et de rivages baignés de lumière, ainsi que de vastes régions dénudées et de montagnes majestueuses couronnées de neiges éternelles. Ce livre s'est en outre assigné comme but: d'évoquer l'œuvre laborieusement accomplie au cours des siècles et d'illustrer par ces images les vestiges d'une ancienne culture suédoise où se reflète aussi le visage de la Suède actuelle. Force a été, bien etendu, de limiter considérablement le choix des motifs susceptibles de figurer dans le cadre du présent recueil. A vous qui souhaitez connaître notre pays, notre intention s'est bornée à vous en donner une rapide orientation qui, nous l'espérons, vous incitera à vous muer en chasseur d'images en tous les coins de notre beau pays où vous guidera votre fantaisie et où, mieux que la meilleure des caméras, votre œil fera sien à jamais de ses mille et un aspects séduisants.

En liten gåsapiga · A little goose-girl · Ein kleines Gänsemädchen · Une petite gardeuse d'oies.

SKÅNE

— Sveriges kornbod — inbjuder oss att bese sina slott och herresäten, att njuta av baden vid soldränkta plager och gästa vårt lands mondänaste badhotell.

— the granary of Sweden — invites us to view its castles and manorhouses, to enjoy bathing on sun-drenched beaches, and to stay at the most cosmopolitan seaside hotels in Sweden.

— Schwedens Kornkammer — lädt zur Besichtigung seiner Schlösser und Herrensitze, zum Besuch seiner Seebäder mit ihrem sonnigen Strand und zum Aufenthalt in den mondänsten Badehotels unseres Landes ein.

— le grenier de la Suède — nous invite à admirer ses châteaux et ses manoirs, à nous délasser sur ses plages dorées par le soleil et à fréquenter ses hôtels balnéaires les plus mondains du pays.

LANDSKAPET SKÅNE äger inom sina landamären många stora adelsgods och minnesrika herresäten. Nedan ser vi överst en bild av Bosjökloster vid Ringsjön, redan på 1300-talet benediktinerkloster för nunnor.

WITHIN ITS BOUNDARIES the province of Skåne contains many large noblemen's estates and renowned manor-houses. The picture below shows Bosjö monastery at Ringsjön. As early as the fourteenth century was a Benedictine nunnery.

SCHONEN ist die Provinz der grossen Rittergüter und ahnenstolzen Herrensitze. Das obere Bild zeigt Bosjökloster am Ringsjön, schon im 14. Jh. ein Benediktiner Kloster für Nonnen.

LA SCANIE possède sur ses terres nombre d'imposants seigneuries et de manoirs riches en souvenirs du passé. La vue supérieure nous montre le couvent de Bosjö, sur le lac Ringsjön, était déjà au XIVe siècle un monastère de Bénédictines.

T.h.: TROLLENÄS SLOTT — också det från 1500-talet. Omkring 1890 ombyggt till franskt renässansslott. I parken Näs medeltidskyrka.

Right: THE TROLLENÄS CASTLE — also from the 16th century. In 1890 it was rebuilt in French renaissance style. Located in the park is the mediaeval church of Näs.

Rechts: SCHLOSS TROLLENÄS — ebenfalls aus dem 16. Jahrhundert. Es wurde um 1890 im Stil der französischen Renaissance umgebaut. Im Park die mittelalterliche Kirche von Näs.

A droite: LE CHATEAU DE TROLLENÄS, datant lui aussi du XVIème siècle et reconstruit, vers 1890, en style français Renaissance. Dans le parc, se dresse l'eglise médiévale de Näs.

MALMÖ. Hamninloppet.

MALMÖ. The harbour entrance.

MALMÖ. Die Hafeneinfahrt.

MALMÖ, l'entrée du port.

MALMÖ STADION, en modern idrottsarena med fotbollsplan, tennisplaner och handbollsplaner.

MALMÖ STADIUM, a modern sports arena with a football pitch, tennis courts and handball courts.

DAS MALMÖER STADION, ein modernes Sportfeld mit Fussball-, Tennis- und Handballplätzen.

LE STADE DE MALMÖ, un établissement de sport moderne, avec terrains de football, de tennis et de handball.

STORTORGET I MALMÖ med dess vackra springbrunn.

STORTORGET IN MALMÖ with its beautiful fountain.

STORTORGET IN MALMÖ mit seinem schönen Springbrunnen.

LA GRAND'PLACE DE MALMÖ avec ses jolies fontaines.

Lunds domkyrka är Sveriges märkligaste kyrka i romansk stil. Templet, som är helt uppfört i sandsten, har en arkitektonisk utformning, vilken påminner om de berömda Rhenkatedralerna.

Lund Cathedral is the most remarkable Roman type of church in Sweden.

Der Dom von Lund ist die berühmteste Kirche Schwedens in romanischem Stil.

La Cathédrale de Lund est la plus remarquable église de style roman de toute la Suède.

Lund. Akademiska föreningen.

Lund. The Academical Society.

Lund. Der Universitätsverein.

Lund. L'Alliance universitaire.

UNIVERSITETET i Lund.

LUND UNIVERSITY.

DIE UNIVERSITÄT in Lund.

L'UNIVERSITÉ de Lund.

LUND. Kulturhistoriska museet, »Kulturen», har ett trettiotal ursprungliga och dit flyttade byggnader på sitt område.

LUND. The Museum of Cultural History, known as "Kulturen" contains some thirty traditional buildings from different districts.

LUND. Zum Kulturhistorischen Museum, »Kulturen«, gehören etwa dreissig Gebäude, die teils schon ursprünglich auf dessen Grundstück standen, teils später dorthin versetzt worden sind.

LUND. Le Musée de l'histoire de la civilisation « Kulturen » comprend une trentaine de bâtiments dont certains s'y trouvaient primitivement et d'autres y ont été transférés.

»Kärnan» i Helsingborg, det gamla borg-
tornet från 1300-talet.

"Kärnan", the fourteenth century fortified
tower in Helsingborg.

Kärnan in Helsingborg, der alte Burg-
turm aus dem 14. Jh.

Le noyau de Helsingborg, la vieille tour
de la forteresse datant du XIVe siècle.

Helsingborg. Från Kullagatan.

Helsingborg. From Kullagatan.

Helsingborg. Ansicht von der Kullagatan.

Helsingborg. Vue de Kullagatan.

CITADELLET I LANDSKRONA.

THE CITADEL IN LANDSKRONA.

DIE ZITADELLE VON LANDSKRONA.

LA CITADELLE DE LANDSKRONA.

BÅSTAD. Internationellt känd badort. Vackert belägen på Hallandsåsens sluttning. Dess ålderdomliga stadsplan spårar man i slingrande gator och krokiga gränder. En småtrevlig låghusbebyggelse, bakom vilken man finner pittoreska gårdar och lummig grönska, kantar gatorna.

BÅSTAD — an internationally famous bathing resort beautifully situated on the slopes of Hallandsås. Its winding streets and crooked alleys remain as evidence of its ancient town plan. Small, cosy buildings line the streets, and behind them lie picturesque gardens with umbrageous greenery.

BÅSTAD — Badeort von internationalem Ruf in schöner Lage an den Hängen des Hallandschen Landrückens. Gewundene Strassen und winklige Gassen zeugen vom Alter der Stadt. Eine gemütliche Kleinstadt mit niedrigen Häusern und malerischen Höfen in lauschigem Grün.

BÅSTAD. Station balnéaire de renom international et joliment située sur l'un des versants du « Hallandsåsen ». La conception archaïque de la cité se retrouve tout au long des ses ruelles tortueuses et de ses rues en lacets qui sont bordées de constructions basses portant cependant cette empreinte sympathique propre aux petites bourgades et derrière lesquelles on découvre, avec enchantement, des cours pittoreques à la végétation verdoyante.

HÄSSLEHOLM blev stad först år 1914. Bilden visar en del av den välanlagda stadsparken.

HÄSSLEHOLM did not become a town in its own right until as recently as 1914. Here we see part of the well laid out municipal gardens.

HÄSSLEHOLM wurde erst 1914 zur Stadt erhoben. Hier ein Teil des schön angelegten Stadtparks.

HÄSSLEHOLM n'est ville que depuis 1914. Voici une vue de son parc très artistement conçu.

ÅHUS. Sjögatan kantad av små pittoreska hus från slutet av 1800-talet.

ÅHUS. Sjögatan lined with houses built at the end of the 19th century.

ÅHUS. Sjögatan (die Seestrasse) mit ihren kleinen, malerischen Häuschen aus der Ende des 19. Jh.

ÅHUS. La « Sjögatan » bordée de petites maisons pittoresques datant de la fin du 19° siècle.

GLIMMINGEHUS, den enda i ursprungligt skick bevarade riddarborgen i Norden.

GLIMMINGEHUS, the only knight's castle in Scandinavia preserved in its original state.

GLIMMINGEHUS, die einzige unverändert erhaltene Ritterburg des Nordens.

GLIMMINGEHUS, est l'unique château féodal de Scandinavie conservé dans son état primitif.

SIMRISHAMN har bevarat sin idylliska och ålderdomliga prägel. Betydande fiskehamn.

SIMRISHAMN has retained its idyllic, old-world character. Important fishing harbour.

SIMRISHAMN, idyllische Hafenstadt von altertümlichem Gepräge. Bedeutender Fischereihafen.

SIMRISHAMN, important port de pêche a gardé son caractère idyllique du passé.

YSTAD har pietetsfullt bevarat sin gamla korsvirkes-bebyggelse. Här en bild från Mattorget. I bakgrunden Mariakyrkans torn, varifrån väktaren nu som i gångna tider utropar nattens timmar.

YSTAD has reverently preserved its old, half-timbered houses. Here is a picture of Mattorget. In the background can be seen the steeple of Maria Church from where the watchman cries out the hours of the night as in days of old.

YSTAD mit seinen pietätvoll bewahrten alten Fachwerk-häusern. Blick auf den Markt (Mattorget), im Hinter-grund die Marienkirche, von deren Turm nach wie vor des Nachts der Turmwächter die Stunden ausruft.

YSTAD a pieusement conservé ses anciennes bâtisses aux murs à charpente de bois. Voici « Mattorget » (Place-du-Marché). A l'arrière-plan, la tour de l'Église Ste-Marie d'où, tout comme au temps jadis, le veilleur annonce encore les heures de la nuit.

TOREKOV — fiskläge, berömd badort. Museet inne-håller många märkliga ting.

TOREKOV — fishing village, famous bathing resort. The museum contains many remarkable objects and items of interest.

TOREKOV — Fischerdorf und bekannter Badeort. Im Museum gibt's viele interessante Dinge zu sehen.

TOREKOV — village de pêcheurs, station balnéaire ré-putée. Le musée contient beaucoup d'objects remar-quables.

Holjeån vid Jämshög · The River Holjeån at Jämshög · Der Holjeån bei Jämshög · Le fleuve Holjeån à Jämshög.

 # BLEKINGE

— har en växlande natur — från inlandets karga moar till mellanbygdens mer leende nejder vilka övergår i en kust delvis sönderskuren av skär och vikar.

— The charms of this country vary from barren inland moors to pleasanter stretches of countryside and the coastline with its skerries and bays.

— hat einen abwechslungsreichen Charakter — von kargen Heideflächen des Inlands über freundlichere Fluren bis zu seiner von Schären und Buchten zerklüfteten Küste.

— présente des paysages variés, — depuis les landes austères de l'intérieur jusqu'aux régions plus riantes qui leur succèdent, pour aboutir à la côte très découpée par endroits.

I Hamnparken i Karlshamn reser sig Axel Olssons ståtliga monument »Utvandrarna», där mannen beslutsamt riktar blicken mot det nya landet och kvinnan med saknad ser det gamla försvinna i fjärran.

In the Harbour Park, Karlshamn, stands this imposing monument by Axel Olsson, "The Emigrants". While the man looks resolutely ahead towards the new country the woman gazes over her shoulder with regret as the old country disappears into the distance.

Im Hafenpark von Karlshamn steht die eindrucksvolle Skulptur »Die Auswanderer« von Axel Olsson. Der Mann richtet den Blick entschlossen auf das neue Land, die Frau schaut wehmutsvoll nach der verschwindenden alten Heimat zurück.

Dans le parc de Karlshamn, près du port, se dresse l'imposant monument — œuvre du sculpteur Axel Olsson — « Les Emigrants », où l'homme porte résolument le regard vers la contrée nouvelle, tandis qu'avec regret la femme regarde l'ancienne patrie disparaître dans le lointain.

KARLSKRONA. Stortorget med Fredrikskyrkan och Börjesons staty av Karl XI.

KARLSKRONA, the main square with Fredrik's Church and Börjeson's statue of Charles XI.

KARLSKRONA. Der Hauptplatz mit der Friedrichskirche und der Statue Karls XI, von Börjeson.

KARLSKRONA. La Grand-Place avec l'église Fredrik et la statue de Charles XI, oeuvre de Börjeson.

FRAMFÖR AMIRALITETSKYRKAN i Karlskrona står »Gubben Rosenbom« — en fattigbössa, skulpterad i trä, välbekant från Selma Lagerlöfs »Nils Holgerssons underbara resa« — vädjande om en skärv till de fattiga:
»Ödmjukast jag Er ber, / Fast rösten är nog matt, / Kom lägg en penning ner, / Men lyften uppå min hatt.«

IN FRONT OF THE ADMIRALTY CHURCH in Karlskrona stands "Gubben Rosenbom" — a poor-box sculptured in wood and well-known from Selma Lagerlöf's book "The Wonderful Adventures of Nils Holgersson" — appealing for a mite for the poor.
"Most humbly here I pray, / Though my voice be weak and hoarse, / That you spare a mite today, / And lift up my hat, of course."

VOR DER ADMIRALITÄTSKIRCHE in Karlskrona steht der »Alte Rosenbom« — ein skulptierter Opferstock, wohlbekannt aus Selma Lagerlöfs Kinderbuch »Wunderbare Reise des kleinen Nils Holgersson mit den Wildgänsen« — und bittet um ein Scherflein für die Armen.
»Bescheiden bitt ich sehr, / o Wandrer, sei so gut, / gib eine Gabe her, / lüft aber erst den Hut.«

DEVANT L'ÉGLISE DE L'AMIRAUTÉ de Karlskrona, le « Vieux Rosenbom » — tronc en bois sculpté que « Le Merveilleux Voyage de Nils Holgersson » dû à la plume de Selma Lagerlöf a rendu célèbre — demande l'aumône pour les miséreux:
« Je vous conjure bien humblement, / Quoique ma voix très faible soit, / Que votre obole tout simplement, / Sous mon chapeau quitte vos doigts. »

RONNEBY BRUNN, brunnsort sedan början av 1700-talet, är idag en stor fritidsanläggning med hotell, bostadsvillor, strövområden och en stor simanläggning.

RONNEBY BRUNN, renowned spa from the early eighteenth century. This has now been transformed into a recreational centre with a hotel, houses and walking and swimming facilities.

RONNEBY BRUNN, seit Anfang des 18. Jh. bekannter Gesundbrunnen, ist heute ausgebaut worden zu einer grosser Erholungsanlage mit Hotel, Wohnvillen, Spazierwegen und einer grossen Schwimmanlage.

RONNEBY BRUNN, connu déjà comme lieu de cure au début du XVIIIe siècle, est devenu maintenant une vaste airedeloisirs, avec hôtels, villas, promenades et une grande piscine.

Tylösand med dess havsbad · Tylösand, a seaside resort.
Seebad Tylösand · Tylösand avec ses bains de mer.

HALLAND

— är — om man bortser från dess södra del och åarnas dalar — snarare kargt än rikt. Åarnas — Lagan, Nissan, Ätran och Viskan — dalstråk har dock en leende karaktär med många fagra platser. Naturskönast är Simlångsdalen — Fyleåns dalgång med sjön Simlången.

Vid istidens slut skapade havet landskapets ljuvliga sandstränder, »Sveriges Riviera«, där i våra dagar ett myllrande badliv utvecklar sig.

— displays a landscape which tends to be barren rather than fertile, that is, if one disregards the southern regions and the valley streams. Nevertheless, the string of glens along the small rivers Lagan, Nissan, Ätran and Viskan present a happy countenance and many beautiful spots. Most beautiful of all is Simlångsdalen — a glen containing the river Fyleån and Lake Simlången.

At the end of the glacial period, the sea formed Halland's delightful sandy beaches — "The Swedish Riviera" — today a scene of thronging seaside life.

— ist, abgesehen von seinem südlichen Teil und den weiträumigen Flusstälern, ein karges Land. Längs der Flüsse Lagan, Nissan, Ätran und Viskan begegnen uns aber überall lachende Fluren und bezaubernd schöne Plätze. Landschaftlich besonders reizvoll ist Simlångsdalen, das Flusstal des Fyleån, mit dem See Simlången.

Am Ende der Eiszeit schuf das Meer den herrlichen weiten Sandstrand von Halland, »die Schwedische Riviera«, an der sich heutigentags ein überaus reges Badeleben entfaltet.

— à l'exception de sa partie sud et des vallées de ses rivières — est plutôt aride que fertile. Ses cours d'eau — Lagan, Nissan, Ätran et Viskan — coulent toutefois dans de riantes vallées offrant nombre de sites ravissants. La vallée du lac Simlången, sur le cours de la Fyleån, possède la plus jolie des natures.

A la fin de la période glaciaire, la mer a créé de merveilleuses plages de sable blond surnommées, à juste titre d'ailleurs, « La Riviera Suédoise » et où, l'été durant, la vie balnéaire bat son plein.

TULLBRON i Falkenberg — den ståtliga landsvägsbron över Ätran — byggdes år 1756 efter ritningar av C. Hårleman. Den anses vara en av de vackraste stenbroarna i Europa. Vid brons södra ände kan man spåra lämningar av det gamla fästet Falkenbergshus, vilket förstördes under Engelbrekts fejder.

THE TOLL BRIDGE in Falkenberg — an impressive road bridge over the River Ätran — was built in 1756 to the designs of C. Hårleman. It is considered to be one of the most beautiful stone bridges in Europe. At the southern end of the bridge it is possible to trace remains of the old Falkenbergshus Fortress which was destroyed during the Engelbrekt feuds.

DIE ZOLLBRÜCKE in Falkenberg — die stattliche Brücke über die Ätran — wurde 1756 nach Zeichnungen von C. Hårleman erbaut. Sie gilt als eine der schönsten Steinbrücken Europas. Am Südende der Brücke Überreste der alten Festung Falkenbergshus, die während der Kämpfe unter Reichsverweser Engelbrecht im 15. Jahrhundert zerstört wurde.

TULLBRON (Pont de l'Octroi) de Falkenberg — imposant pont routier sur l'Ätran, dont la construction, selon les plans de C. Hårleman, date de 1756. Il est considéré comme l'un des plus beaux ponts de pierre de l'Europe. A son extrémité sud, on peut y déceler des vestiges de l'ancienne forteresse « Falkenbergshus », détruite au cours des luttes d'Engelbrekt.

SIMSTADION i Varberg har ett härligt havsvatten. I bakgrunden Varberg fästning.

THE SWIMMING STADIUM in Varberg contains refreshing sea water. Lying in the background is the Varberg fortress.

DAS SCHWIMMSTDADION in Varberg hat erfrischendes Meerwasser. Im Hintergrund die Festung Varberg.

LE BASSIN DE NATATION de Varberg est alimenté en une eau de mer splendide bains. A l'arrièreplan, la forteresse de Varberg.

VARBERGS FÄSTNING byggd på 1200-talet. Under unionstiden det starkaste fästet i Kattegatt. Nu stadens museum. Här förvaras »Bockstensmannens dräkt», världens enda fullständiga medeltidsdräkt funnen 1936 i en mosse nära staden.

THE FORTRESS AT VARBERG was erected during the 13th century. At the time of the Swedo-Norwegian Union it was the best fortified stronghold in the Kattegatt. It is now the municipal museum and here can be seen "Bockstensmannens dräkt" which was found on boggy ground near the town in 1936 and which is the only complete set of mediaeval clothing in the world.

DIE FESTUNG VARBERG wurde im 13. Jahrhundert erbaut. Zur Zeit der Kalmarer Union war sie die stärkste Festung am Kattegat und dient heute als Stadtmuseum. Hier wird das 1936 in einem Moor nahe der Stadt aufgefundene »Gewand des Bockstensmannens«, das einzige vollständig erhaltene mittelalterliche Gewand der Welt, aufbewahrt.

LA FORTERESSE DE VARBERG, sur la vue au bas de la page, date du début du XIIIème siècle. A l'époque de l'Union, la plus forte Citadelle du Kattegatt. Tojours tuellement, musée de Ville pal qui détient notable « Bockstensmannens dräkt », l'unique vêtement médiéval du monde entier, dans son intégralité et découvert en.

HALMSTAD. Stora torget pryds av Milles' fontän »Europa och tjuren». Den sengotiska hallkyrkan är stadens enda bevarade medeltida byggnadsverk.

HALMSTAD, the main square with Carl Milles' "Europa and the Bull" fountain. The late Gothic church is the town's only extant mediaeval building.

HALMSTAD. Den Hauptplatz ziert der Springbrunnen »Europa und der Stier« von Milles. Die spätgotische Hallenkirche ist das einzige aus dem Mittelalter erhaltene Bauwerk der Stadt.

HALMSTAD. La Grand-Place, avec la fontaine « Europe et le Taureau », de Milles. L'église, du type « Hallenkirche », de la dernière période du Gothique, est la seule oeuvre architecturale du moyen âge que possède encore la ville.

ÖSTRA STRANDEN bjuder på härliga badmöjligheter.

THE EAST BEACH offers splendid bathing facilities.

ÖSTRA STRANDEN (der Oststrand) bietet herrliche Bademöglichkeiten.

ÖSTRA STRANDEN (le bord est de l'eau) offre d'excellentes possibilités de baignades.

VALLGATAN.

VALLGATAN.

DIE VALLGATAN.

VALLGATAN.

HALMSTAD SLOTT.

HALMSTAD CASTLE.

HALMSTAD. DAS SCHLOSS.

LE CHATEAU DE HALMSTAD.

Kungshamn — ett av Västkustens största fiskelägen · Kungshamn — one of the largest fishing-villages on the west coast
Kungshamn — eines der grössten Fischerdörfer an der Westküste Schwedens
Kungshamn — l'un des petits ports pêche les plus importants de la côte ouest.

BOHUSLÄN

— är ett typiskt kustlandskap med rik skärgård och en kust-linje delad av en mängd fjordar. Under sommarens varma dagar söker många här rekreation i bad, fiske och segling.

— has a typical coastal landscape with an extensive archipela-go and a coastline broken up by numerous inlets. During hot summer days many visitors come here to bathe, fish and sail.

— ist eine ausgesprochene Küstenlandschaft mit einer Unzahl von Schären und tiefen Fjorden, an denen, geschützt vor Wind und Wellen, die Fischerdörfer liegen.

— est le type même de la région côtière ; son archipel four-mille de petites îles et son rivage est coupé de fiords étroits. Nombreux sont ceux qui, durant les chaudes journées d'été, viennent s'y baigner, pêcher et faire de la voile.

Strömstad. Södra hamnen.

Strömstad, the south harbour.

Strömstad. Der südliche Hafen.

Strömstad. Le port sud.

FRÅN BOHUSLÄNS SKÄRGÅRD.

SCENE FROM THE BOHUSLÄN ARCHI-
PELAGO.

VON DEN SCHÄREN BOHUSLÄN AUS.

DE L'ARCHIPEL DE BOHUSLÄN.

VÄSTKUSTENS BÅTHUS, fiskebodar och bryggor är omtyckta motiv för många konstnärer. Motiv från Mollösund.

THE BOAT-HOUSES, fishing huts and jetties provide a popular motif for many an artist. Here is a view of Mollösund.

DIE BOOTSSCHUPPEN, Fischerhäuser und Landungsbrücken der West-küste sind beliebte Motive der vielen Künstler. Hier ein Motiv aus Mollösund.

LES HANGARS A BATEAUX, les échoppes à poissons et les pontons de la côte occidentale sont des motifs vivement prisés de nombreux artistes. Voici une vue caractéristique de Mollösund.

INVID KUNGÄLV ligger ruinen av Bo-
hus fästning, under medeltiden en av
Nordens starkaste. Stadens föregång-
are var »Kongahälla», grundad på
1000-talet och ödelagd 1135 av ven-
diska sjörövare.

NEAR KUNGÄLV are the ruins of Bo-
hus Castle, one of the best strong-
holds in Scandinavia in the Middle
Ages. The predecessor of the town,
"Kongahälla", was founded in about
the year 1000 and was sacked in 1135
by Wendish pirates.

BEI KUNGÄLV liegen die Überreste
der Festung Bohus, im Mittelalter
eine der mächtigsten des Nordens.
Vorgängerin der Stadt Kungälv war
Kongahälla, um das Jahr 1000 ge-
gründet und 1135 von wendischen
Seeräubern zerstört.

PRÈS DE KUNGÄLV, on peut voir les
ruines de la forteresse de Bohus qui.
au Moyen-Age, fut l'une des plus
puissantes de la Scandinavie. Sur
l'emplacement de la ville, s'étendait
jadis le bourg de Kungahälla, bâti au
XIe siècle et détruit en 1135 par des
pirates Wendes.

TJÖRN-LEDEN (9 km lång, passerar 4
öar och 3 broar) skänker de vägfa-
rande underbara utsikter över land
och vatten.

THE TJÖRN THROUGHWAY (9 km long,
crossing 4 islands and 3 bridges) pro-
vides its travellers with wonderful
views over land and sea.

DIE 9 KM LANGE SCHÄRENSTRASSE nach
Tjörn führt über 4 Inseln und 3
Brücken und gewährt den Reisenden
einen herrlichen Blick auf Land und
Wasser.

TJÖRN-LEDEN (ouvrage routier de 9
km traversant 4 îles et comprenant 3
ponts) enchante les usagers par ses
merveilleuses perspectives tant sur
terre que sur mer.

Gånggrift i Falbygden · Ancient tomb in Falbygden
Ganggrab in Falbygden · Tertre funéraire de pays de Falbygden.

VÄSTERGÖTLAND

— ligger mellan Sveriges två största sjöar: Vänern och Vättern. Över den bördiga Västgötaslätten reser sig här och där platåberg, såsom Kinnekulle, Hunneberg och Billingen, från vilka man har en vidsträckt utsikt över denna mycket gamla kulturbygd.

— lies between the two largest lakes in Sweden, Vänern and Vättern. The fertile Västgöta plains are broken by heights such as Kinnekulle, Hunneberg and Billingen from which a magnificent view can be obtained of this very old centre of cultural tradition.

— liegt zwischen den beiden grössten Seen Schwedens, dem Vänern und dem Vättersee. Die fruchtbare Västgöta-Ebene wird hier und da von Tafelbergen überragt, von denen aus man einen weiten Rundblick über diese uralte Kulturlandschaft hat.

— s'étend entre les deux plus grands lacs de la Suède: le Vänern et le Vättern. Les monts Kinnekulle, Hunneberg et Billingen dominent la plaine fertile et de leurs sommets, le regard embrasse de vastes espaces tout empreints de vieille civilisation.

GÖTEBORGS HAMN.

THE HARBOUR AT GOTHENBURG.

DER HAFEN VON GÖTEBORG.

LE PORT DE GÖTEBORG.

GÖTAPLATSEN är stadens kulturcentrum. T.h. Stadsteatern och Stadsbiblioteket.

GOTHENBURG, Götaplatsen is the cultural centre of the city. To the right the Civic Theatre and the Municipal Library.

DER GÖTAPLATSEN ist das Kulturzentrum der Stadt. Rechts das Stadttheater und die Stadtbibliothek.

GÖTAPLATSEN est le centre culturel de la ville. A droite, le Théâtre municipal et la Bibliothèque municipale.

KUNGSPORTSPLATSEN OCH ÖSTRA HAMNGATAN.

KUNGSPORTSPLATSEN AND ÖSTRA HAMNGATAN.

KUNGSPORTSPLATSEN UND ÖSTRA HAMNGATAN.

KUNGSPORTSPLATSEN ET ÖSTRA HAMNGATAN.

GÖTEBORG. Älvsborgsbron över Göta-
älv är med sina 900 meter i längd den
sjunde bron i storlek i Europa.

THE 900 METER LONG ÄLVSBORGSBRON
over the Götaälv is the seventh largest
bridge in Europe.

DIE ÄLVSBORGSBRON (Älvsborgsbrücke)
über den Götaälv ist mit ihren 900
Metern die siebente Brücke Europas,
der Länge nach.

LE PONT D'ÄLVSBORG, sur le fleuve
Götaälv. Long de 900 mètres, il se
place au septième rang en Europe.

GÖTEBORG. Frölunda Torg är norra Europas största köpcentrum
under ett tak.

FRÖLUNDA TORG is Northern Europe's largest shopping centre under
one roof.

FRÖLUNDA TORG ist Nordeuropas grösstes Kaufzentrum unter einem
Dach.

LA PLACE DE FRÖLUNDA, le plus grand centre commerçant sous un
même toit, en Europe du nord.

SKARADOMEN började byggas på 1100-talet. Genom seklen har den ändrats och ombyggts. 1886—94 års restaurering gav den dess nuvarande utseende. Interiören gör ett mäktigt intryck... den höga rymden, triforiegångarna runt kor och långhus, ljusflödet genom de vackra mosaikfönstren... alls samverkar till att skapa en talande tystnad och en tidlös, rofylld stillhet.

SKARA CATHEDRAL first began to be built during the 12th century but has since been constantly altered and rebuilt. The restorations carried out between 1886 and 1894 gave it its present appearance. The interior creates a tremendous impression... the lofty spaciousness, the triforium aisles around the choir and nave, the light streaming through the beautiful mosaic windows ...all combining to create an expressive silence and a timeless, peaceful stillness.

DER BAU DES DOMS ZU SKARA begann im 12. Jahrhundert. Jahrhundertelang wurde an ihm geändert und gebaut. Die Restauration der Jahre 1886—94 gab ihm sein jetziges Aussehen. Das Innere macht einen mächtigen Eindruck... das hohe Gewölbe, die Triforiengänge um Chor und Langschiff, die Lichtflut durch die herrlichen Mosaikfenster — das alles trägt zu eindrucksvoller Stille, zeitloser, weihevoller Andacht bei.

L'ÉDIFICATION DE LA CATHÉDRALE DE SKARA débuta vers l'an 1100. Au cours des siècles, elle a subi des transformations et des reconstructions. La restauration dont elle fit l'objet, de 1886 à 1894, lui a conféré sa physionomie actuelle. Son intérieur donne une profonde impression de majesté... par ses proportions imposantes, le triforium qui entoure le chœur et la grande nef, le flot de lumière tombant de ses splendides vitraux... tout enfin concourt à faire naître un recueillement expressif et une paix sereine.

SKÖVDE. Friluftsgården Alphyddan med en hänförande utsikt över Västgötaslätten.

SKÖVDE. Alphyddan, an open-air recreational centre with a captivating view over the Västgöta plains.

SKÖVDE. Vom Rasthaus und Gartenrestaurant Alphyddan hat man einen bezaubernden Blick auf die Västgöta-Ebene.

SKÖVDE. Le jardin en plein air Alphyddan avec une vue ravissante sur Västgötaslätten.

BORÅS. Stora torget med Sjuhäradsbrunnen och byst av Gustav II Adolf, som gav staden dess stadsrättigheter.

BORÅS. The main square with its imposing fountain Sjuhärad and bust of Gustavus II Adolphus who granted the town its charter.

BORÅS. Stora Torget mit seinem Springbrunnen Sjuhärad und der Büste Gustavs II. Adolfs, der Borås das Stadtrecht verlieh.

BORÅS. La grand'place avec les fontaines Sjuhärad et le buste de Gustave II Adolphe. qui donna à la ville ses droits municipaux.

PÅ EN UDDE i Vänern ligger Läckö slott. Under medeltiden bebott av biskoparna i Skara. Slottets äldsta delar förskriver sig från 1200-talet. Dess storhetstid började då Magnus Gabriel De la Gardie tillträdde det år 1652. Slottet har 250 rum med förnämlig inredning. Nu museum.

LÄCKÖ CASTLE stands on a headland along the coast of Lake Vänern. During the Middle Ages it was occupied by the Bishops of Skara. Some parts of the castle date back to the 13th century, and its period of greatness began in 1652 when it was taken over by Magnus Gabriel De la Gardie. The castle, now a museum, contains 250 finely appointed rooms.

AUF EINER LANDZUNGE im Vänersee liegt das Schloss Läckö im Mittelalter Wohnsitz der Bischöfe von Skara. Die ältesten Teile des Schlosses stammen aus dem 13. Jahrhundert. Seine Blütezeit begann, als Magnus Gabriel De la Gardie es 1652 übernahm. Des Schloss hat 250 Zimmer mit vorzüglicher Einrichtung und dient nun als Museum.

SUR UN CAP du lac Vener, s'élève le château de Läckö qui fut, au Moyen-Age, la résidence des évêques de Skara. Les parties les plus anciennes du château datent du XIIIe siècle. Sa période de grandeur commença en l'an 1652, lorsque Magnus Gabriel De la Gardie en prit possession. Le château compte 250 salles dont l'aménagement est de grand style. C'est actuellement un musée.

TROLLHÄTTE KANAL påbörjades redan på slutet av 1600-talet, då Karl XII gav Christoffer Polhem i uppdrag att skapa en farled förbi Trollhättefallen. Parti från övre slussen.

The work with the construction of the TROLLHÄTTE CANAL began as far back as the end of the 17th century when Charles XII commissioned Christoffer Polhem to create a channel past the Trollhätte falls. A view from the upper lock.

Der Bau des TROLLHÄTTAN-KANALS wurde schon Ende des 17. Jahrhunderts in Angriff genommen. König Karl XII. beauftragte damals Christoffer Polhem, die Trollhättan-Wasserfälle mit einem Kanal zu umgehen. Blick auf die obere Schleuse.

LE CANAL DE TROLLHÄTTE fut commencé déjà à la fin du 17° siècle lorsque Charles XII chargea Christoffer Polhem de créer une voie navigable le long des chutes de Trollhätte. Partie de l'écluse supérieure.

Kalmar slott · Kalmar Castle · Das Schloss von Kalmar · Le château de Kalmar.

SMÅLAND

— har en omväxlande natur. Södra delen — ett stenigt hög-
land — äger idylliska sjöar, lättjefulla åar och leende löv-
ängar. I väster har vi »ryorna», d. v. s. mossarna. I norr djup-
nar skogarna. Österut en rik skärgård — den fagra Tjust-
bygden.
Den mångenstädes svårbrukade jorden har gjort smålänning-
arna till ett idogt och framåtsträvande släkte. Ur dess djupa
led har många bemärkta män och kvinnor — Carl von Linné,
Kristina Nilsson m. fl. — framträtt.

— hat eine vielseitige Natur. Im südlichen Teil — einem
steinigen Hochland — finden wir idyllische Seen, gemächlich
dahinziehende Flüsse und bezaubernde Haine, im Westen
weite Moore, die sog. Ryor, im Norden dichte Wälder und
im Osten längs der Küste, in der herrlichen Gegend von Tjust,
eine reiche Schärenwelt.
Der vielenorts schwer zu bearbeitende Boden hat die Små-
länder zu einem zähen und strebsam Völkchen gemacht, von
dessen Söhnen und Töchtern sich gar manche Weltruf erwor-
ben haben — wie Carl von Linné, Kristina Nilsson u. a.

— is characterized by its varying landscape. The southern
region — a stony upland — contains idyllic lakes, lazy
streams and pleasant leafy grasslands. In the west we find
"the rugs", that is to say, the mossy fields. The north has its
deep forests. The east boasts a flowing fringe of skerries —
the beautiful Tjustbygden.
Much of the land is difficult to cultivate and this has made
the people of Småland into an industrious, progressive folk.
Out of the rank and file have emerged many notable men and
women such as Carl von Linné and Kristina Nilsson.

— a une nature variée. La partie sud — haut plateau rocheux
— possède des lacs calmes, des cours d'eau paresseux et des
prés feuillus à l'aspect riant. A l'ouest, nous trouvons les
« ryor », c'est-à-dire, les marais. Au nord, des forêts profon-
des. A l'est s'ouvre un riche archipel — le ravissant Tjust-
bygden.
Ce terroir souvent difficile à cultiver a fait de ses habitants une
race travailleuse et tenace, orientée vers le progrès. C'est de ses
rangs que sont sortis nombre d'hommes et de femmes remar-
quables — Carl von Linné, Kristina Nilsson et bien d'autres.

Vy över Kalmar. I bakgrunden Ölands-
bron, vilken är Sveriges längsta bro, in-
vigd i september 1972.

View over Kalmar. In the distance is the
Ölandsbridge, which is the longest bridge
in Sweden, opened in September 1972.

Blick über Kalmar. Im Hintergrund die
Ölandsbrücke, die längste in Schweden,
welche im September 1972 eingeweiht
wurde.

Vue sur Kalmar. Au fond le pont
d'Öland, qui est le plus long pont de la
Suède, inauguré en septembre 1972.

Kalmar. »Gamla stan» med idylliska
små hus och gränder, där man som-
martid kan finna prunkande träd-
gårdar.

Kalmar. "The Old Town" with its
small, idyllic houses and alleys where
gorgeous gardens greet the eye at
summertime.

Kalmar. Die Altstadt mit idyllischen
Häuschen und Gassen in lauschi-
gem Grün.

Kalmar. « Gamla Stan » — la Vieille
Ville — avec ses petites maisons et
ruelles idylliques, là où, en été, on
peut trouver des jardins somptueux.

VÄXJÖ. Domkyrkan från 1100-talet med dess dubbeltorn restaurerades 1957—60.

VÄXJÖ. The 12th century Cathedral with its twin spires was restored during 1957—60.

VÄXJÖ. Der Dom mit seinem eigenartigen Doppelturm wurde im 12. Jahrhundert erbaut und 1957—60 restauriert.

VÄXJÖ. La cathédrale, avec sa double tour, datant du 12° siècle, fut restaurée en 1957—60.

JÖNKÖPING. Utsikt över staden.

JÖNKÖPING, view of the city.

JÖNKÖPING. Aussicht über die Stadt.

JÖNKÖPING. Vue sur la ville.

I Tranås närhet ligger den vackra sjön Sommen på gränsen mellan Småland och Östergötland.

CLOSE TO THE TOWN of Tranås and on the border between the provinces of Småland and Östergötland lies beautiful Lake Sommen.

GANZ IN DER NÄHE der Stadt Tranås liegt der schöne See Sommen; er bildet hier die Grenze von Småland und Östergötland.

ENVIRONS DE TRANÅS. Le joli lac Sommen aux frontières du Småland et de l'Östergötland.

NÄSSJÖ. Hembyggnadsparken, där man återger idyllen från svunnen tid. På bilden ett gammalt ånglok.

NÄSSJÖ. The park reserve where one can recapture the atmosphere of bygone times. Here we see an ancient steam locomotive.

NÄSSJÖ. Im Heimatpark will man das Idyll vergangener Zeiten bewahren. Hier eine alte Dampflokomotive.

NÄSSJÖ. Le parc régional où l'on retrouve les idylles du temps jadis. Sur la photo, une vieille locomotive à vapeur.

FÅGELDAMMEN I VETLANDA.

THE DUCK POOL at Vetlanda.

DER VOGELTEICH IN VETLANDA.

L'ÉTANG AUX OISEAUX, A VETLANDA.

I NÄRHETEN AV GRÄNNA ligger högt uppe på berget ruinen av Brahehus.

ON THE HEIGHTS NEAR GRÄNNA is the ruin of Brahehus.

IN DER NÄHE VON GRÄNNA liegt, hoch oben auf dem Berge, die Ruine des Brahehauses.

AUX ENVIRONS DE GRÄNNA, on voit, au haut de la montagne, les ruines de la demeure de Brahe.

AV VISINGSBORG, Per Brahes stolta residens, återstår nu endast en ruin.

VISINGSBORG, now a ruin but once the handsome residence of the Lord High Chancellor Per Brahe.

VON DER VISINGSBORG, einmal die stolze Residenz Per Brahes, ist nur eine Ruine übrig.

DE VISINGSBORG, jadis la fière résidence de Per Brahe, il ne reste plus qu'une ruine.

RÅSHULTS KOMMINISTERBO-
STÄLLE i Stenbrohult, den
store botanisten Carl von
Linnés födelsegård.

THE VICARAGE IN RÅSHULT,
Stenbrohult — the birth-
place of Carl von Linné,
the great botanist.

DAS PFARRHAUS VON RÅS-
HULT bei Stenbrohult, Ge-
burtsstätte des grossen Bo-
tanisten Carl von Linné.

LA MAISON DU PASTEUR DE
RÅSHULT, à Stenbrohult, où
naquit le renommé bota-
niste Carl von Linné.

VÄSTERVIK. Båtsmansstugorna.   VÄSTERVIK, Die Bootsmannshäuser.

VÄSTERVIK. The boatmen's cottages.   VÄSTERVIK. Les chaumières de bateliers.

Väderkvarnen har blivit Ölands speciella signum · The windmill has become the symbol of the island of Öland
Die Windmühle ist zum besonderen Merkmal Ölands geworden · Le moulin à vent est devenu le signe caractéristique de l'île d'Öland.

ÖLAND

— är mycket rikt på fornminnen. Alvaret med sin speciella flora är ett eldorado för botanisten. Öns stränder hemsöks varje sommar av talrika skaror solhungrande badgäster från fastlandet.

— is rich in ancient monuments. The flat lands of Alvaret, with their unusual flora, are a paradise for the botanist. Thousands of holidaymakers from the mainland flock to the beaches of the island every summer, eager for sun and sand.

— ist besonders reich an Funden aus der Vorzeit. Die Alvaret-Ebene ist mit ihrer bemerkenswerten Flora ein Eldorado für den Botaniker. Die Sandstrände der Insel werden jeden Sommer von grossen Scharen sonnenbegeisterter Badegäste vom Festland aufgesucht.

— est riche en souvenirs historiques et préhistoriques. L'Alvaret, avec sa flore toute particulière, est le paradis du botaniste. Les plages de cette île sont envahies tous les étés par de véritables essaims d'estivants qui viennent de la terre ferme se rassasier de soleil.

SOLLIDEN, drottning Victorias sommar-
residens, uppfört i början av 1900-talet.

SOLLIDEN, Queen Victoria's summer re-
sidence, was built at the beginning of the
century.

SOLLIDEN, zu Anfang dieses Jahrhun-
derts als Sommerresidenz der Königin
Victoria erbaut.

SOLLIDEN, résidence d'été construite au
début du XXème siècle par la reine
Victoria.

BORGHOLMS SLOTTSRUIN.

DIE SCHLOSSRUINE ZU BORGHOLM.

RUINS OF BORGHOLM CASTLE.

LES RUINES DU CHATEAU DE BORGHOLM.

Norra ringmuren, Visby · Northern City Wall, Visby · Nördliche Ringmauer, Visby · Le rempart nord de Visby.

 # GOTLAND

— ön med de många ruinerna från en gången storhetstid. Med sitt milda klimat och många historiska minnen är Gotland av idag eftersökt av turister och semesterfirare, som under sommarmånaderna i tusenden och åter tusenden strömmar till sagoön.

— the island with countless ruins from a glorious past. With its mild climate and many historical relics, Gotland is a highly popular summer resort, to which thousands of holiday-makers and tourists stream every summer.

— die Insel der vielen Ruinen aus grosser Vergangenheit. Das milde Klima und die zahlreichen geschichtlichen Erinnerungen machen Gotland heute zu einem vielbesuchten Ziel der Touristen und Urlauber, die im Sommer zu vielen Tausenden diese Märcheninsel besuchen.

— l'île aux ruines abondantes, témoins de sa splendeur passée. Grâce à la clémence de son climat et à la profusion de souvenirs historiques qui y sont pieusement conservés, Gotland — île de légende — attire par milliers touristes et estivants qui y affluent chaque été.

VISBY. Burmeisterska huset vid Donners plats uppfördes ursprungligen på 1650-talet av den från Lübeck inflyttade köpmannen Hans Burmeister. I övre våningen museum, i bottenvåningen har Gotlands Turistförening sin rundturs- och souveniravdelning.

VISBY. Burmeisterska Huset by Donners Square was originally built during the 1650s by Hans Burmeister, a Lübeck merchant. The upper storey contains a museum, while the ground floor houses the Gotland Tourist Association's department for sightseeing tours and souvenirs.

VISBY. Burmeisterska Huset am Donners Platz in Visby wurde ursprünglich Mitte des 17. Jahrhunderts von dem aus Lübeck zugezogenen Kaufmann Hans Burmeister erbaut. Das Haus beherbergt im Obergeschoss ein Museum, im Erdgeschoss die Rundfahrt- und Andenken-Abteilung des Fremdenverkehrsvereins von Gotland.

VISBY. La « Burmeisterska huset » près de la place de Donner fut construite primitivement en 1650 par le commerçant Hans Burmeister, venu de Lübeck. L'étage a été transformé en musée et le rez-de-chaussée est occupé par l'association touristique du Gotland qui y a installé ses services d'excursions et de souvenirs.

FRÅN RUINSPELEN i S:t Nicolaus med musikskådespelet »Petrus de Dacia» av Friedrich Mehler.

THE MUSICAL SPECTACLE "Petrus de Dacia" by Friedrich Mehler in the ruins of St. Nicolaus.

IN DEN RUINEN von St. Nicolai wird alljährlich das Festspiel »Petrus de Dacia« des deutschen Musikers Friedrich Mehler aufgeführt.

LES JEUX DES RUINES à Saint Nicolas. La Scène musicale « Petrus de Dacie » de Friedrich Mehler.

Visby — »rosornas och ruinernas stad».

Visby, Gotland, city of roses and ruins.

Visby — die Stadt der Rosen und Ruinen.

Visby, la ville des roses et des ruines.

BOTANISKA TRÄDGÅRDEN, anlagd i mitten av 1850-talet av sällskapet D.B.W. (De badande vännerna). Tack vare det milda klimatet trivs här bl.a. mandelträdet, fikonbusken och det kinesiska tempelträdet Ginko-Biloba.

THE BOTANICAL GARDENS, laid during the 1850s by the Bathing Friends Society. In the mild climate here we find almond trees, fig trees and the Chinese temple tree Gingko Biloba.

DER BOTANISCHE GARTEN wurde um die Mitte des 19. Jahrhunderts von der Vereinigung »Die badenden Freunde« angelegt. In dem milden Klima gedeihen hier u.a. Mandelbäume, Feigenbäume und der chinesische Tempelbaum Ginko-Biloba.

LE JARDIN BOTANIQUE, créé vers 1850 par l'association Les amis du bain. Grâce au climat, y poussent des amandiers, des figuiers et la plante sacrée chinoise Ginko-Biloba.

PÅ GOTLAND har fåraveln gammal hävd.

SHEEP-BREEDING has ancient traditions on Gotland.

AUF GOTLAND ist die Schafzucht eine alte Tradition.

GOTLAND est connu de longue date pour l'élevage du mouton.

Vadstena Slott · Vadstena Castle · Das Schloss von Vadstena · Le château de Vadstena.

ÖSTERGÖTLAND

— i poetiskt språk ofta benämnt »Östergyllen» — leder tanken till de guldgula sädesfälten i detta bördiga landskap. Det är slättbygden, som givit Östergötland dess karaktär. Bebott har det varit sedan den äldre stenåldern. Många minnesmärken och byggnader täljer om landskapets kultur och historia under en tidrymd av omkring 8 000 år.

— often referred to as "Östergyllen", that is, "Eastern Gold" in the tongue of the poets — leads one to think of the golden-yellow cornfields of this fertile landscape. It is the plains which have given Östergötland its character. It has been inhabited since the earlier stone age. Numerous monuments and buildings tell us about its culture and history covering a space of about 8,000 years.

— in der Poesie oft Östergyllen, das »goldene Östergötland« genannt — lässt an die goldgelben Kornfelder seines charakteristischen Flachlandes denken. Seit der Altsteinzeit wohnen hier Menschen, und eine Fülle von Funden, historischen Relikten und Baudenkmälern erzählt von der achttausendjährigen Geschichte und Kultur dieser Landschaft.

— en langage poétique souvent dénommé « Östergyllen » (L'est d'Or) — évoque les champs de blé dorés de cette province fertile. C'est la plaine elle-même qui a donné à l'Östergötland son caractère typique et des hommes y vivent depuis l'âge de la pierre. De nombreux vestiges du passé ainsi que maintes constructions rappellent la culture et l'histoire de cette province sur une période de près de 8 000 ans.

VRETA NUNNEKLOSTER grundades 1162 av konung Karl Sverkersson och var under medeltiden ett av de förnämsta klostren i Sverige. Klosterkyrkan finns ännu bevarad.

VRETA NUNNERY was founded in the year 1162 by King Karl Sverkersson and was one of the leading convents in Sweden during the Middle Ages. The Chapel still remains.

DAS NONNENKLOSTER VRETA wurde im Jahre 1162 von König Karl Sverkersson gegründet und war im Mittelalter eines der berühmtesten Klöster Schwedens. Die Klosterkirche steht noch heute.

LE COUVENT DE VRETA, fondé en 1162 par le roi Karl Sverkersson, fut l'un des plus florissants de Suède au Moyen-Age. L'église conventuelle existe encore.

VADSTENA KLOSTER — Birgittinerordens moderkloster. Nedan t.v. exteriör och t.h. interiör av Klosterkyrkan.

VADSTENA CONVENT — the mother convent of the Order of St. Bridget. Below left: A view of the exterior. Right: Interior of the Chapel.

DAS KLOSTER VON VADSTENA — Stammkloster des Birgittineordens. Unten links die Klosterkirche — rechts Innenansicht der Klosterkirche.

LE COUVENT DE VADSTENA — maison mère des religieuses de l'ordre de Sainte Brigitte. La vue de gauche représente l'extérieur et celle de droite, l'intérieur de l'église conventuelle.

NORRKÖPING. Kvällsbild från Teatercity vid strömmen.

NORRKÖPING, evening study on the waterfront.

NORRKÖPING. Abendlicher Anblick der Theatercity am Wasser.

NORRKÖPING, le soir, vu de la « Teatercity » au bord de l'eau.

VID MUSEET finner man en modern skapelse av konstnären Arne Jones »Spiral åtbörd» som är gjord av rostfritt stål.

ERECTED BY THE MUSEUM is "Spiral Gesture", a modern work in stainless steel by the artist Arne Jones.

VOR DEM MUSEUM die »Spiralgebärde« ein modernes Werk des Künstlers Arne Jones aus nichtrostendem Stahl.

AU MUSÉE, on trouve une moderne création, don de l'artiste Arne Jones, « Spiral åtbörd » en acier inoxydable.

LINKÖPING. Den gamla örtagården.

LINKÖPING, the Old Gardens.

LINKÖPING. Der alte Garten.

LINKÖPING. Le vieux jardin.

FOLKUNGABRUNNEN i Linköping. Centralfiguren föreställer Folke Filbyter, grundaren av en medeltida svensk kungaätt. På sin häst är han ute och letar efter sin sonson. Vid ett vadställe snubblar hästen — därav gruppens egendomliga rörelse.

THE FOLKUNGA FOUNTAIN in Linköping. The central figure depicts Folke Filbyter, founder of a mediaeval Swedish dynasty. Here we see him on his horse in search of his grandson. The horse stumbles at a ford and this provides the group with its peculiar movement.

DER FOLKUNGABRUNNEN in Linköping, Die Zentralfigur stellt Folke Filbyter, den Gründer eines mittelalterlichen schwedischen Königsgeschlechts, dar. Er ist zu Pferd unterwegs und späht nach seinem Enkel. An einer Furt strauchelt das Pferd — daher die eigentümliche Haltung der Gruppe.

FOLKUNGABRUNNEN à Linköping. Le personnage central de ce groupe-fontaine — œuvre de Carl Milles — est Folke Filbyter, fondateur d'une dynastie suédoise du Moyen-Age. On le voit ici, à cheval, à la recherche de son petit-fils. Au passage d'un gué, son cheval trébuche, d'où l'attitude étrange du groupe.

MOTALA — en bild från Stadsparken i högsommarskrud.

MOTALA — a view of the Town Park in its summer finery.

MOTALA — der Stadtpark im Hochsommerkleid.

MOTALA — le jardin public sous sa parure estivale.

SÖDERKÖPING, en fin gammal »kåkstad» med ett snyggt representabelt stadshotell.

SÖDERKÖPING, a fine old "shanty town" with an attractive, pleasant hotel.

SÖDERKÖPING, ein altes, gemütliches Städtchen mit einem gepflegten und repräsentablen Stadthotel.

SÖDERKÖPING, une jolie vieille « ville à bicoques » avec un hôtel municipal élégant et représentatif.

Gripsholms slott · Gripsholm Castle · Das Schloss von Gripsholm · Le château de Gripsholm.

SÖDERMANLAND

— har — och med rätta — benämnts herrgårdarnas, björk-
arnas, de solbelysta sjöarnas och lundarnas land. Under minst
5 000 år har det varit föremål för mänsklig id och odlar-
gärning.

— has been named — and rightly so — a land of manorial
estates, birches, glittering lakes and gentle groves. For at least
5,000 years it has been the object of human industriousness
and the pursuit of cultivation.

— wird — mit Recht — das Land der Herrenhöfe, Birken
und sonnenbeglänzten Seen und Haine genannt. Seit mindes-
tens 5 000 Jahren hat menschlicher Fleiss hier den Boden
urbar gemacht.

— est appelé — à juste titre d'ailleurs — le pays des manoirs,
des bouleaux, des lacs ensoleillés et des boqueteaux. Depuis
5 000 ans au moins, il a été l'objet du labeur humain et de
son œuvre civilisatrice.

NYKÖPING. Nyköpingshus — slott uppfört av Magnus Ladulås och hans son Erik. Nu museum.

NYKÖPING. Nyköpingshus — a castle erected by Magnus Ladulås and his son Erik. The castle is now a museum.

NYKÖPING. Nyköpingshus — das Schloss wurde von König Magnus Ladulås und dessen Sohn Erik erbaut und dient jetzt als Museum.

NYKÖPING. Le château de Nyköpingshus, érigé par Magnus Ladulås et son fils Erik. De nos jours, musée régional.

VÄLVDA SALEN i medeltidsborgen Nyköpingshus.

THE VAULTED ROOM in the mediaeval castle Nyköpingshus.

DER GEWÖLBTE SAAL im mittelalterlichen Schloss Nyköpingshus.

LA SALLE VOUTÉE de la forteresse médiévale de Nyköpingshus.

STRÄNGNÄS. Småbåtshamnen. I bakgrunden domkyrkan, som i stora delar är från 1200-talet.

STRÄNGNÄS, the boat club. In the background the cathedral, which is largely from the 13th century.

STRÄNGNÄS. Der Bootshafen. Im Hintergrund die Domkirche, die zu grossen Teilen aus dem 13. Jh. stammt.

STRÄNGNÄS. Le port des petits bateaux. Dans le fond, la cathédrale qui pour une grande part remonte au XIIIe siècle.

DEMACHERS SMEDJA i Eskilstuna nu museum.

DEMACHER'S SMITHY in Eskils- a — now a museum.

RADEMACHERSCHE SCHMIEDE Eskilstuna.

FORGE DE RADEMACHER, à kilstuna — aujourd'hui musée.

KATRINEHOLM. I stadsparken kan man om somrarna njuta av blomsterprakten kring den lilla dammen.

KATRINEHOLM. In the municipal park one can enjoy the floral splendour round the small pond during the summer.

KATRINEHOLM. Der kleine Stadtparkteich inmitten farbensprühender Blumenbeete.

KATRINEHOLM. Dans le parc municipal, on peut jouir, l'été, de la splendeur des fleurs autour du petit étang.

SÖDERTÄLJE ligger vid E-4, dryga tre mil söder om Stockholm. Kanalen förbinder Mälaren med Östersjön och är livligt trafikerad.

SÖDERTÄLJE is situated at Highway E-4, about 20 miles south of Stockholm. The canal connects Lake Mälaren with the Baltic, and the traffic is heavy.

SÖDERTÄLJE liegt an der Europastrasse E 4, 30 km südlich von Stockholm. Der Kanal verbindet den Mälarsee mit der Ostsee und ist stark befahren.

SÖDERTÄLJE est située sur la route nationale E-4, à trente kilomètres au sud de Stockholm. Le canal relie le lac Maelar à la Mer Baltique: et la circulation y est très vive.

VÄSTER OM STOCKHOLM ligger Drottningholms slott — Sveriges Versailles. År 1581 lät Johan III här uppföra ett »stenhus». I samband därmed fick platsen sitt nuvarande namn. År 1661 nedbrann detta slott. Änkedrottning Hedvig Eleonora började uppförandet av det nuvarande. Arkitekt var Nicodemus Tessin d.ä. Efter dennes död fullföljdes arbetet av hans son, Nicodemus Tessin d.y., som också lämnat anvisningar om slottets inredning.

DROTTNINGHOLM PALACE — the Versailles of Sweden — is situated to the west of Stockholm. It took its present name in 1581 when Johan III commissioned the building of a stone house. The old place was destroyed by fire in 1661. It was then that Hedvig Eleonora, the queen dowager, gave orders for the construction of the present building. The architect was Nicodemus Tessin Sr., after whose death the work was completed by his son, Nicodemus Tessin Jr.

IM WESTEN DER STADT liegt das Schloss Drottningholm, das Versailles Schwedens. An dieser Stelle liess sich König Johan III, ein steinernes Haus erbauen, das den jetzigen Namen erhielt. Das alte Schloss brannte 1661 ab. Die Königinwitwe Hedvig Eleonora begann darauf mit dem Bau des neuen Schlosses, dessen Architekt Nicodemus Tessin d. Ä. war. Nach seinem Tode wurde die Arbeit von dem Sohn, Nicodemus Tessin d. J., fortgesetzt.

A L'OUEST DE STOCKHOLM s'élève le Château de Drottningholm — le Versailles de la Suède. En l'an 1581, Jean III y fit ériger une demeure de pierre et en cette occasion, l'endroit reçut sa dénomination actuelle. En 1661, le vieux château devint la proie des flammes. La reine-veuve Hedvig Eleonora fit commencer l'érection du Château actuel. L'architecte en fut Nicodème Tessin le Vieux et à sa mort, son fils — Nicodème Tessin le Jeune — en acheva l'exécution.

MÅRTEN TROTZIGS GRÄND i Gamla stan.

MARTIN TROTZIG ALLEY, the Old Town.

DIE GASSE MÅRTEN TROTZIG in der Altstadt.

LA RUELLE MÅRTEN TROTZIG dans la Vieille Ville.

STADEN PÅ VATTNET. I centrum Gamla stan.

THE CITY ON THE WATER, centred around the Old Town.

DIE STADT AM WASSER. In der Mitte die Altstadt.

LA VILLE SUR L'EAU. Au centre, la Vieille Ville.

STOCKHOLM SLOTT. Det uppfördes efter ritningar av Nicodemus Tessin d.ä. och innehåller 550 rum utsmyckade av svenska och franska konstnärer.

THE ROYAL PALACE in Stockholm. Built to the designs of Nicodemus Tessin Sr., it contains 550 rooms decorated by French and Swedish artists.

DAS STOCKHOLMER SCHLOSS. Es wurde nach Zeichnungen Nicodemus Tessins d. Ä. erbaut und enthält 550 von schwedischen und französischen Künstlern ausgeschmückte Zimmer.

LE CHATEAU DE STOCKHOLM. Il fut construit d'après les plans de Nicodème Tessin le Vieux et comporte 550 chambres décorées par des artistes français et suédois.

En salong i Kungliga Slottets festvåning.

A drawing-room in the State Apartments of the Royal Palace.

Ein Salon in der Festwohnung des Königl. Schloss.

Un salon dans l'apartement d'apparat, Palais Royal.

STADSHUSET, världsberömt för sin märkliga arkitektoniska utform-
ning, uppfördes åren 1911—23 efter ritningar av Ragnar Östberg. In-
vigt år 1923 på 400-årsdagen av den svenska nationalstatens grund-
läggare Gustav Vasas intåg i huvudstaden.

DAS STOCKHOLMER STADTHAUS ist wegen seiner architektonischen
Ausgestaltung berühmt. Es wurde 1911—1923 nach Zeichnungen von
Ragnar Östberg erbaut und 1923 am 400. Jahrestag des Einzugs von
Gustav Vasa, Begründer des schwedischen Nationalstaats, in Stock-
holm eingeweiht.

THE STOCKHOLM CITY HALL, world famous for its architectural design,
was erected between 1911 and 1923 from drawings by Ragnar Östberg.
It was inaugurated on the 400th anniversary of the founder of the Swedish
nation-state Gustav Vasa's entry into the capital.

L'HÔTEL DE VILLE, mondialement réputé pour le particularisme de
son ordonnance architecturale. fut construit entre 1911 et 1923
d'après les plans de Ragnar Östberg. Son inauguration eut lieu en
1923, le jour du quatrecentenaire de l'entrée dans la capitale de
Gustave Vasa, fondateur de l'Etat Suédois.

GYLLENE SALEN i Stadshuset, en magnifik bankettsal av imponerande mått. Dess väggar är belagda med guldmosaik, vilken skänker speciell glans och festivitas när salen är illuminerad.

THE GOLDEN HALL, in the City Hall, is a magnificent banquet hall of impressive dimensions. Its walls are inlaid with gold mosaic, which creates a festive atmosphere all its own when the hall is illuminated.

DER »GOLDENE SAAL« im Stadthaus, ein Bankettsaal mit imposanten Ausmassen. Seine Wände sind mit Goldmosaiken belegt, die dem Saal im Lichterglanz ein ausserordentlich festliches Gepräge verleihen.

LA SALLE DORÉE de l'Hôtel de ville est une salle de banquet somptueuse aux grandes dimensions. Ses murs sont ornés de mosaïques d'or qui confèrent à la salle illuminée un lustre et un éclat tout particuliers.

I CENTRUM AV SERGELS TORG reser sig majestätiskt »Riksglaset» av Edvin Öhrström. Skulpturen består av 80.000 bitar kristall, halvkristall och sodaglas. Den är 37,5 m hög och väger 130 ton. Med dess mångfärgade inre belysning är den en av Stockholms omtyckta »nightseeings».

IN THE CENTRE OF SERGELS TORG rises majestically the glass-sculpture "Riksglaset" by Edvin Öhrström. It consists of 80,000 pieces of crystal, halfcrystal and soda glass. It is 37.5 metres high and weights 130 tons. With its inbuilt multicoloured illumination it is one of the attractive nightseeing of Stockholm.

IN DER MITTE VON SERGELS TORG steht majestätisch die Skulptur »Riksglaset« von Edvin Öhrström. Sie besteht aus 80.000 Stücken Kristall, Halbkristall und Sodaglas. Sie ist 37,5 Meter hoch und wiegt 130 Tonnen. Mit der eingebauten Vielfarbenbeleuchtung ist sie ein beliebtes »Nightseeing« in Stockholm.

AU CENTRE DE SERGELS TORG, la sculpture d'Edvin Öhrström « Riksglaset » de dresse majestueusement. Elle consiste de 80.000 pièces de cristal, demicristal et verre de soude. La colonne avec ses 37,5 mètres pèse 130 tonnes. A cause de son illumination interne multicolorée, elle est devenue un « nightseeing » populaire de Stockholm.

STOCKHOLMS STRÖM.

FÖRSTÄDER till Stockholm växer upp
i alla väderstreck. Här en bild från
Farsta Centrum.

THE NEW SUBURBS of Stockholm are
springing up at all points of the com-
pass. This is a picture of Farsta.

DIE STADT STOCKHOLM dehnt sich
nach allen Himmelsrichtungen aus.
Hier einige Kaufhäuser im Vorort
Farsta.

LES FAUBOURGS de Stockholm pous-
sent dans toutes les directions. Voici
une vue de Farsta.

Uppsala Slott · Uppsala Castle · Das Schloss von Uppsala · Le Château d'Uppsala.

 # UPPLAND

— är de vida slätternas land genomkorsat av skogsklädda rullstensåsar. Utanför dess kust utbreder sig Stockholms skärgård med tusende öar, holmar och skär. Uppland var medelpunkten i riket under sveaväldets dagar och rymmer många minnen från länge sedan flydda tider.

— is a province of wide, fertile plains broken by stony, wooded hills. Off its coast lies the Stockholm archipelago, with its thousands of islands and skerries. Uppland was the core of the kingdom in the Svea period and can show many monuments of days long past.

— ist das Land der weiten Ebenen, die von bewaldeten Moränenrücken durchzogen werden. Vor der Küste breiten sich die Stockholmer Schären aus, mit ihren Tausenden von Inseln und Klippen. Uppland war zur Zeit des Sveareichs Mittelpunkt des Landes und weist viele Funde und Relikte aus längst vergangenen Zeiten auf.

— est le pays des vastes plaines coupées de moraines boisées. Au large de sa côte fourmillent les îlots de l'archipel de Stockholm. L'Uppland fut autrefois le centre du royaume de Svea et garde encore de nombreux vestiges des temps révolus.

UPPSALA. DOMKYRKAN som började byggas på 1200-talet är vårt lands största i gotisk stil.

UPPSALA. THE CATHEDRAL, which dates from the 13th century, is the largest in Sweden built in Gothic style.

DIE DOMKIRCHE VON UPPSALA, die grösste Kathedrale Schwedens im gotischen Stil. Der Bau wurde im 13. Jahrhundert begonnen.

UPPSALA. LA CATHÉDRALE dont la construction commença au 13° siècle est la plus grande du pays en style gothique.

UNIVERSITETET I UPPSALA, grundat år 1477 av riksföreståndaren Sten Sture d.ä. och ärkebiskopen Jacob Ulfsson. I förgrunden Geijerstatyn.

UPPSALA UNIVERSITY, founded in 1477 by Sten Sture Sr. and Archbishop Jacob Ulfsson. In the foreground, the Geijer Statue.

DIE UNIVERSITÄT UPPSALA wurde 1477 von Reichsverweser Sten Sture d. Ä. und Erzbischof Jacob Ulfsson gegründet. Das jetzige Universitätsgebäude, in modernem Renaissancestil, wurde 1887 eingeweiht. Im Vordergrund das Standbild des Dichters und Denkers Erik Gustaf Geijer.

L'UNIVERSITÉ D'UPPSALA, fondée en 1477 par Sten Sture l'aîné et l'archévêque Jacob Ulfsson. Au premier plan, la statue de Geijer.

»Gamla Uppsala«. Kyrkan med klockstapeln. Här ligger också »Kungshögarna« vilka förmodas vara gravar för tre av Ynglingaättens konungar.

"Old Uppsala". The church and its separate bell-tower. This is also the site of the "Kungshögarna" which are assumed to be the graves of three kings of the Yngling Dynasty.

»Alt-Uppsala« mit Kirche und Glockenturm. Hier liegen auch die »Königshügel«, die vermutlich die Grabhügel dreier Könige aus dem Geschlecht der Ynglinga sind.

Le vieil Uppsala. L'église et le beffroi. On y trouve aussi les « Kungshögarna » que l'on suppose être les tombes de trois de la famille des Yngling.

Torget i Norrtälje med »Wallinska gårdarna«.

The Square in Norrtälje with the "Wallinska gårdarna".

Der Marktplatz von Norrtälje mit dem »Wallinschen Gehöft«.

La place de Norrtälje avec les « Wallinska gårdarna ».

VIKINGARNA hugfäste minnet av sina hjältar och anförvanter i run-skrift huggen i flata stenhällar — runstenar. Bilden visar en runsten från trakten av Enköping.

IN COMMEMORATION of their heroes and relatives the Vikings carved runic inscriptions on great stone slabs. The picture shows one of these runic stones in the vicinity of Enköping.

ZUM GEDÄCHTNIS ihrer Krieger und Anverwandten errichteten die Wikinger Runensteine — Steinplatten mit geritzter Runeninschrift. Hier ein Runenstein aus der Gegend von Enköping.

SUR DES PIERRES PLATES dénommées pierres runiques, les Vikings gravaient en runes le souvenir de leurs héros et de leurs familles. La photographie montre une pierre runique de la région d'Enköping.

Det gamla Västerås — det ålderdomliga stadspartiet vid Svartån.
Västerås — an old part of the town situated alongside the River Svartån.
Das alte Västerås — der altertümliche Stadtteil am Svartå-Fluss.
Le vieux Västerås — le quartier archaïque bordant le « Svartån » (Rivière Noire).

 # VÄSTMANLAND

— ligger vid Mälarens inre del. I öster och söder möter oss här Mälardalens bördiga marker — i norr och väster Bergslagen med sina skogar, berg och sjöar.

— lies around the inner part of Lake Mälaren. To the east and south we find the fertile land of the Mälar Valley and to the north and west Bergslagen, with woods, hills and lakes.

— liegt am oberen Teil des Mälarsees. Im Osten und Süden liegen die fruchtbaren Fluren des Mälartals — im Norden und Westen grenzt die Landschaft an die Wälder, Berge und Seen von Bergslagen.

— s'étend autour du Lac Mälaren intérieur. A l'est et au sud, nous trouvons les terres fertiles de la vallée du Lac Mälaren — au nord et à l'ouest, nous butons contre les hauteurs du Bergslagen, avec ses forêts et ses lacs.

Västerås Domkyrka grundlades på 1200-talet. Har genomgått flera om- och tillbyggnader — 1961 restaurerades den genomgripande. I kyrkans inre finnes praktfulla altarskåp. Bland gravmonumenten bl.a. Erik XIV:s marmorsarkofag.

Västerås Cathedral was erected in the 13th century but has since been rebuilt and enlarged several times. In 1961 it was given a thorough restoration. The Cathedral contains magnificent triptychs, and in the mausoleums is to be found the marble sarcophagus of Erik XIV.

Der Grundstein des Doms von Västerås wurde im 13. Jahrhundert gelegt. Die Kirche wurde mehrmals umgebaut und erweitert und 1961 durchgreifend restauriert. Im Inneren prachtvolle Altarschreine und u. a. der Marmorsarkophag König Eriks XIV.

Les fondations de la Cathédrale de Västerås datent du XIIIème siècle. L'édifice a subi plusieurs reconstructions et agrandissements et fut restauré de fond en comble en 1961. On peut y admirer de splendides triptyques et parmi les monuments funéraires, le sarcophage d'Erik XIV.

Västerås nya Stadshus.

The new Town Hall of Västerås.

Das neue Stadthaus zu Västerås.

Le nouvel Hôtel de Ville de Västerås.

SALA SILVERGRUVA kallades en gång »Svea rikes skattkammare och yppersta klenod». Här ser vi nedgången till Karl XI:s schakt.

THE SALA SILVER MINE was once called "The Kingdom of Svea's treasury and most noble jewel". Here is the entrance leading down to Karl XI's shaft.

DAS SILBERBERGWERK IN SALA wurde einst »die Schatzkammer und das köstlichste Kleinod des Schwedenreiches« genannt. Hier der Schacht König Karls XI, mit Schachthaus.

JADIS, on a appelé la mine d'argent de Sala : Le trésor du royaume de Svea et son joyau suprême. Voici la descente vers le puits Charles XI.

MOTIV FRÅN ARBOGAÅN   VIEW OF THE RIVER ARBOGAÅN   BLICK AUF DEN ARBOGA-FLUSS   VUE DE LA RIVIÈRE ARBOGAÅN

Motiv från Ramshyttan · Scene from Ramshyttan · Motiv aus Ramshyttan · Motif de Ramshyttan.

 # NÄRKE

— består huvudsakligen av den bördiga Närkeslätten, som i väster och norr omgärdas av randbergen Tiveden, Kilsbergen och Käglan.

— is chiefly made up of the fertile Närke plain, bounded to the west and north by the hills Tiveden, Kilsbergen and Käglan.

— besteht hauptsächlich aus einer fruchtbaren Ebene, die im Westen und Norden von den Randbergen, Tiveden, Kilsbergen und Käglan umrahmt ist.

— est constitué presque entièrement par la plaine fertile du Närke, bordée au nord et à l'ouest par les hauteurs de Tiveden, Kilsbergen et Käglan.

Örebro slott · Örebro Castle · Das Schloss von Örebro · Le château d'Örebro.

ÖREBRO. Det svampformade vattentornet. Från den stora plattformen, dit man bekvämt förs upp med snabba hissar, har man en vidunderlig utsikt över nejden.

ÖREBRO, the mushroom-shaped water tower. From this great platform, reached by a swift elevator service, there is a magnificent view over the surroundings.

ÖREBRO. Der pilzartige Wasserturm. Von der grossen Plattform, auf die man mit schnellen Aufzügen bequem hinaufgelangt, hat man eine wunderbare Aussicht über die Gegend.

ÖREBRO. Le château d'eau en forme de champignon. De la grande plateforme où l'on accède facilement par des ascenseurs rapides, on jouit d'une vue magnifique sur la région avoisinante.

ÖREBRO. Stortorget och Nicolaikyrkan.

ÖREBRO. The Square and the Nicolai church.

ÖREBRO. Der Hauptplaz und die Nikolaikirche.

ÖREBRO. La Grand-Place et l'église Nicolas.

STJÄRNSUNDS SLOTT söder om Askersund.

STJÄRNSUND CASTLE, south of Askersund.

SCHLOSS STJÄRNSUND südlich von Askersund.

LE CHATEAU DE STJÄRNSUND, au sud d'Askersund.

Motiv från Dalsland · View from Dalsland · Motiv aus Dalsland · Motif de Dalsland.

DALSLAND

— ligger väster om Vänern. Landskapet — bergigt och kargt med undantag för den i söder belägna Dalboslätten — är med sin skog- och sjörikedom känt för sin säregna skönhet.

— lies west of Lake Vänern. The landscape, which is barren and mountainous, except for the Dalbo plain, is renowned for the natural beauty of its forests and lakes.

— liegt westlich des Vänersees. Die Landschaft — mit Ausnahme der Dalbo-Ebene im Süden bergig und karg — ist wegen der eigenartigen Schönheit ihrer Wälder und Seen bekannt.

— s'étend à l'ouest du Lac Vänern. Ce paysage — montagneux à l'exception de la plaine de Dalbo, au sud — est célèbre par l'étrange beauté que lui confèrent ses forêts et ses innombrables lacs.

AKVEDUKTEN VID HÅVERUD,
Sveriges enda. Dalslands Ka-
nal korsas här av en järnvägs-
och en landsvägsbro.

THE AQUEDUCT AT HÅVERUD.
Here the Dalsland Canal is
crossed by a railway bridge
and a road bridge.

DER AQUÄDUKT ZU HÅVERUD.
Der Dalsland-Kanal über-
quert einen Wasserfall und
wird von einer Eisenbahn-
und einer Strassenbrücke ge-
kreuzt.

HÅVERUD. L'unique aqueduc
de Suède. A Håverud, le canal
du Dalsland croise une ligne
de chemin de fer et un pont
routier.

ÅMÅL. Dalslands enda stad har
en gammal traditionsrik be-
byggelse. Här syns Vågmästar-
gården, som är från 1700-
talet.

ÅMÅL. The only town in the
province of Dalsland, Åmål
contains buildings steeped in
tradition. The photograph
shows Vågmästargården which
dates from the 18th century.

ÅMÅL ist die einzige Stadt
Dalslands und kann viele
schöne, alte Häuser aufweisen.
Hier Vågmästargården aus
dem 18. Jahrhundert.

ÅMÅL, la seule ville du Dals-
land, a gardé ses vieilles bâtis-
ses riches en traditions. On
voit ici le « Vågmästargården »
datant du 18° siècle.

Utsikt från Storkasberget, Arvika · View from Storkasberget, Arvika.
Blick vom Storkasberg bei Arvika · Vue des hauteurs de Storkasberget, à Arvika.

 # VÄRMLAND

— erbjuder ett mångskiftande natursceneri från leende dal-gångar och trolska sjöar till milsvida skogar och brusande forsar. Tack vare att Selma Lagerlöf så betagande skildrat den 100-åriga epok, under vilken de små järnbruken hade sin blomstring, framstår Värmland i ett tjusande romantiskt skim-mer — en skarp kontrast till Värmland av i dag, storindu-striens och det rationella arbetslivets landskap par préférence.

— offers many different types of natural scenery, from plea-sant glens and bewitching lakes to forests stretching for miles and roaring rapids.
Selma Lagerlöf wrote in such a captivating way about the 100-year epoch during which the small ironworks were at the height of their prosperity, that Värmland appears in an air of romantic glamour — in sharp contrast to the Värmland of today, a county of industrialism and rationalization.

— hat eine vielseitige Natur — freundliche Täler, verwunsche-ne Seen, meilenweite Wälder und brausende Stromschnellen. Seinen romantischen Schimmer verdankt Värmland vor allem der Schriftstellerin Selma Lagerlöf, die uns die Blütezeit der kleinen Eisenhütten dieser Landschaft so meisterhaft geschil-dert hat — ganz im Gegensatz zum heutigen Värmland, dem Land der Grossindustrie und rationellen Arbeit.

— offre le spectacle d'une nature très variée: riantes vallées et lacs au charme mystérieux, forêts immenses et cascades écumantes.
Grâce à Selma Lagerlöf, qui a si bien su faire revivre le siècle pendant lequel les « forges » étaient florissantes, le Värmland est auréolé de romantisme — contraste saisissant avec le Värmland d'aujourd'hui qui symbolise surtout la grande in-dustrie et l'organisation rationnelle de travail.

KARLSTAD. »Solens stad». Här på bilden Östra bron. En vacker arkitektonisk konstruerad bro.

KARLSTAD. "City of the sun". Here is a picture of Östra bron, a bridge of beautiful architectural design.

KARLSTAD, »die sonnige Stadt«. Unser Bild zeigt die wegen ihrer schönen Konstruktion bekannte Östra bron. (Ostbrücke).

KARLSTAD. La « ville du soleil ». Sur la photo, le pont Östra aux lignes architecturales joliment dessinées.

PARKEN VID RESIDENSET.

RESIDENCE PARK.

DER PARK BEI DER RESIDENZ.

LE PARC DE LA RÉSIDENCE du Gouverneur de la province.

ROTTNEROS HERRGÅRD — Ekeby i Gösta Berlings saga — har en skulpturpark av enastående skönhet.

ROTTNEROS MANOR — Ekeby in Gösta Berling's Saga — with its collection of sculptures in grounds of unique beauty.

DAS HERRENHAUS ROTTNEROS — das Ekeby in Selma Lagerlöfs berühmtem Roman »Gösta Berling« — hat einen Park mit vielen Skulpturen, eine grosse Sehenswürdigkeit von einzigartiger Schönheit.

LE MANOIR DE ROTTNEROS — l'Ekeby de Gösta Berling dans le roman de Selma Lagerlöf — possède un parc splendide riche en statues d'une beauté exceptionnelle.

MÅRBACKA. Författarinnan Selma Lagerlöfs födelsegård. Nu en stor turistattraktion.

MÅRBACKA. The birthplace of the famous authoress Selma Lagerlöf is now a great attraction for tourists.

MÅRBACKA, das Geburtshaus der Schriftstellerin Selma Lagerlöf, ist heute ein Wallfahrtsort vieler Touristen.

MÅRBACKA. La maison natale de l'écrivain Selma Lagerlöf, aujourd'hui grande attraction touristique.

STADSHOTELLET i Filipstad.

THE PRINCIPAL HOTEL in Filipstad.

DAS STADTHOTEL in Filipstad.

L'HOTEL MUNICIPAL de Filipstad.

KARLSKOGA kan uppvisa en storartad nybebyggelse. Bilden visar Stadsteatern och Folkets Hus.

KARLSKOGA has been very enterprising with all its new buildings. The picture shows the Municipal Theatre and Civic Hall.

KARLSKOGA imponiert durch seine grossartigen neuen Bauten. Hier das Stadttheater und das »Haus des Volkes«.

KARLSKOGA exhibe un nouveau quartier grandiose. La photo montre le théâtre municipal et la maison du Peuple.

Med raska årtag stävar kyrkbåten till kyrkan vid högmässotid.
Brisk strokes carry the church boat to morning service at the church.
Kirchenboot unterwegs zum Gottesdienst.
A rapides coups d'avirons, le bateau paroissial met le cap vers l'église à l'heure de la grand'messe.

 # DALARNA

— lockar främlingen på ett alldeles särskilt sätt. Det frihets-älskande dalfolket, som ofta gått främst, när landet råkat i ofred, har också förstått att värna och bevara hembygdens ålderdomliga särdrag i byggnadsskick, dräkter, konst och livsföring. Den storslagna naturen och den rika bygdekultu-ren tjusar varje främling.

— has its own special charm. The Dalecarlians, with their great love of liberty, have often led the country in war and yet un-derstand how to preserve the ancient character of their buildings, costumes, art and customs. Its grand scenery and wealth of local culture will delight the heart of any stranger.

— zieht den Touristen ganz besonders an. Die freiheitslieben-den Bewohner Dalekarliens haben es gut verstanden, die altertümlichen Züge ihrer Heimat in Baustil, Trachten, Kunst und Lebensgewohnheiten zu schützen und zu bewahren.

— séduit l'étranger par son charme tout particulier. Les dalécarliens, qui ont maintes fois prouvé leur amour de la liberté en étant au premier rang des défenseurs lorsque la patrie était menacée, ont également su défendre et perpétuer les traits caractéristiques de leur charmante province.

RÄTTVIK. Kyrkan med kyrkstallarna.
Nedre bilden: På fäbodvall.

RÄTTVIK. The Church and stables for the
churchgoers. Below: Pasture land.

RÄTTVIK. Die Kirche mit den Kirchen-
ställen. Unteres Bild: Auf der Alm.

RÄTTVIK. L'église et les écuries parois-
siales. La photo ci-dessous : un cottage
des montagnes.

VASALOPPET är världens största skidtävling med över 11,000 deltagare. Här går segraren i mål lagerkrönt av kranskullan.

VASALOPPET, is the greatest ski race in the world; more than 50 miles with some 11,000 participants. Here the winner receives his laurels.

DER WASALAUF ist das grösste Skirennen der Welt, mit über 11.000 Teilnehmern. Hier geht der Sieger durchs Ziel, vom Kranzmädchen mit Lorbeeren bekränzt.

VASALOPPET, la plus grande compétition de ski au monde, avec plus de 11.000 participants. Le vainqueur arrive au but et y est couronné de lauriers par une Dalécarlienne.

ZORNGÅRDEN, den store konstnären Anders Zorns hem i Mora, och Zornmuseet med sina rika konstsamlingar är nu tillgängliga för allmänheten. Här en bild från Stora Rummet på Zorngården.

ZORNGÅRDEN, the former home of the great artist Anders Zorn in Mora and the Zorn Museum next door with its valuable art collections are now open to the public. Here is a picture of The Grand Salon at Zorngården.

DER ZORNHOF in Mora, einstiges Heim des grossen schwedischen Malers Anders Zorn, wie auch das benachbarte Zornmuseum mit seinen reichen Kunstschätzen können heute besichtigt werden. Hier der grosse Innenraum des Zornhofs.

ZORNGÅRDEN, où vécut à Mora le célèbre peintre Anders Zorn, est aujourd'hui. comme le musée Zorn avec ses riches collections, ouvert au public. La grande salle de la maison de Zorn.

GESUNDABERGET reser sig 514 m. ö.h. Utsikt över Siljan och Sollerön.

GESUNDA HILL rises more than 1,600 feet above sea level and offers a splendid view over Lake Siljan and the island of Sollerön.

DER GESUNDABERG erhebt sich 514 Meter über dem Meeresspiegel. Aussicht über den Siljan und die Sollerön.

GESUNDABERGET, montagne s'élevant 514 mètres au-dessus du niveau de la mer. Vue sur le lac Siljan et sur l'île de Soller.

LEKSAND. Kyrkbåten.

LEKSAND. The churchboat.

LEKSAND. Das Kirchenboot.

LEKSAND. Le bateau de cérémonie.

Sandviken. Tappning av elektrostålugn · Tapping an electric steel furnace.
Abstich eines Elektrostahlofens · Coulée d'un four électrique à acier.

 # GÄSTRIKLAND

— är det sydligaste av de norrländska landskapen. Det stiger från söder för att i sina norra delar nå en höjd av 300 meter över havet.

— is the most southerly province of Norrland — the northern part of Sweden. Its highlands are over 900 feet in the northern parts.

— ist die südlichste Landschaft Norrlands. Sie steigt von Süden nach Norden bis zu einer Höhe von 300 Metern über dem Meer an.

— est la province la plus méridionale du Norrland. Son sol s'élève continuellement du sud au nord pour atteindre une hauteur de 300 mètres au dessus du niveau de la mer.

»DET GAMLA GÄVLE». Stadsdelen är numera skyddad som reservat.
OLD GÄVLE, a conserved area of the town.

DAS ALTE GÄVLE. Dieser Stadtteil steht nunmehr unter Kulturschutz.
LE VIEUX GÄVLE, partie de la ville constituant aujourd'hui une réserve.

GÄVLE. Inre hamnen.
GÄVLE. The inner harbour.
GÄVLE. Der Binnenhafen.
GÄVLE. Le port intérieur.

SANDVIKEN. Stadshuset och Stadshotellet.

SANDVIKEN. The Town Hall and the Principal Hotel.

SANDVIKEN. Das Rathaus und das Stadthotel.

SANDVIKEN. L'Hôtel de Ville et le « Restaurant de la Ville ».

SANDVIKEN. Högbo.

 # HÄLSINGLAND

— har ett mångskiftande ansikte. Det är såväl de bördiga slätternas som de djupa skogarnas och bergens land; ömsom öppet och vänligt, ömsom tyst och skrämmande men alltid tjusande.

— the countryside in this province varies from fertile plains to thickly-wooded slopes and mountains, and from open and friendly landscape to silent, awe-inspiring stretches, but it always holds its special charm.

— hat ein vielgestaltiges Gepräge. Es ist ein Land fruchtbarer Ebenen, aber auch dicht bewaldeter Berge, offen und freundlich, und dann wieder schweigend, ja furchterregend, immer aber bezaubernd.

— présente les physionomies les plus diverses. Il est à la fois le pays de plaines fertiles et des forêts profondes mais aussi des montagnes. Il est tantôt accueillant et sympathique, tantôt taciturne et presque sinistre mais pourtant toujours tellement séduisant.

TORKELSBO FÄBOD i närheten av Ljusdal.

CROFTER'S COTTAGES at Torkelsbo near Ljusdal.

SENNHÜTTE TORKELSBO bei Ljusdal.

HABITATION MONTAGNARDE avec ses dépendances à Torkelsbo près de Ljusdal.

SÖDERHAMN fick sina stadsrättigheter 1620. På Stadsberget ligger Oskarsborg.

SÖDERHAMN was granted its charter in 1620. Here on Stadsberget lies Oskarsborg castle.

DIE STADT SÖDERHAMN erhielt schon 1620 ihre Stadtrechte. Auf dem Stadtberg liegt Oskarsborg.

SÖDERHAMN acquit ses droits municipaux en 1620. Sur Stadsberget se trouve Oskarsborg.

HUDIKSVALL. Sundskanalen, vilken sammanbinder Stor- och Lill-
fjärdarna.

HUDIKSVALL. The Sunds Canal linking the two bays Storfjärden and
Lillfjärden.

HUDIKSVALL. Der Sundskanal.

HUDIKSVALL. Le « Sundskanalen » qui relie les Stor- et Lillfjärdarna
(Grand et Petit Bassins).

HEMBYGDSGÅRDEN I EDSBYN, »Sveri-
ges största by», med betydande trä-
varuindustrier.

THE LOCAL OPEN-AIR MUSEUM at Eds-
byn, "Sweden's biggest village", a
community with important timber
industries.

HEIMATMUSEUM in Edsbyn, »dem
grössten Dorf Schwedens« mit be-
deutenden Holzindustrien.

LE MUSÉE FOLKLORIQUE d'Edsbyn,
la « plus grosse bourgade de Suède »,
qui possède d'importantes industries
du bois.

Motiv från Funäsdalen · View of Funäsdalen.
Motiv von Funäsdalen · Motif emprunté au val de Funäsdalen.

HÄRJEDALEN

— sträcker sig upp mot den norska gränsen. Ett berg- och fjälland, som når sin högsta höjd med Helagsfjället och Skars-fjället, 1 797 resp. 1 593 meter över havet.

— stretches right up to the Norwegian border. It is a province of mountains and fells, the highest peaks being Helagsfjället and Skarsfjället, 5,400 and 4,800 feet above sea-level.

— erstreckt sich bis zur norwegischen Grenze. Es ist ein Berg- und Hochgebirgsland, das im Helagsfjället (1 797 m) und Skarsfjället (1 593 m) seine höchsten Punkte erreicht.

— s'étend jusqu'à la frontière norvégienne. C'est un pays de basses et de hautes montagnes dont l'altitude atteint 1 593 mètres au mont Skarsfjället et 1 797 mètres au mont Helag.

I SVEG finner vi Emil Näsvalls skulptur »Skogsarbetaren».

IN SVEG can be seen Emil Näsvall's sculpture "The Forest Worker".

IN SVEG finden wir Emil Näsvalls Skulptur »Der Waldarbeiter«.

A SVEG, nous pouvons voir la statue d'Emil Näsvall « Le bûcheron ».

TÄNNDALEN är ett omtyckt centrum för vintersportare.

TÄNNDALEN is a popular winter sports centre.

TÄNNDALEN ist ein beliebtes Zentrum der Wintersportler.

LE VILLAGE DE TÄNNDALEN est un refuge très apprécié des amateurs de sports d'hiver.

Tännforsen · The waterfall Tännforsen · Der Wasserfall Tännforsen · La chute de Tännforsen.

JÄMTLAND

— är ett högland, vars högsta toppar är Sylfjället, Snasahögarna och Åreskutan. Den jämtländska fjällvärlden är ett eldorado för vintersportentusiaster.

— is a highland province, the highest peaks being Sylfjället, Snasahögarna and Åreskutan. The mountain world of Jämtland is an eldorado for winter sports enthusiasts.

— ist ein Bergland, das im Sylfjället, den Snasahögarna und der Åreskutan kulminiert. Die Berge Jämtlands sind ein Eldorado für alle begeisterten Wintersportler.

— est un pays de haute montagne dont les plus fiers sommets sont le mont Sylfjället, les pics Snasahögarna et l'Åreskutan. Ce monde du Jämtland est le paradis des enthousiastes de la montagne et des sports d'hiver.

ÖSTERSUNDS RÅDHUS efter ritningar av F. B. Wallberg är stadens märkligaste byggnad.

ÖSTERSUND COURT HOUSE designed by F. B. Wallberg is the town's most notable building.

DAS RATHAUS VON ÖSTERSUND, nach Zeichnungen von F. B. Wallberg, ist das bemerkenswerteste Gebäude der Stadt.

LA MAIRIE D'ÖSTERSUND, d'après les plans de F. B. Wallberg, est la construction la plus caractéristique de la ville.

ÖSTERSUND — staden sedd från Frösön.

ÖSTERSUND — the wiew from Frösön.

ÖSTERSUND — Blick von Frösön.

ÖSTERSUND — la ville vue de Frösön.

Frösö kyrka är i sina äldsta delar från medeltiden.

Frösö Church whose oldest parts date from the Middle Ages.

Die Kirche von Frösö, deren älteste Teile aus dem Mittelalter stammen.

L'église de Frösö, qui, dans ses parties les plus anciennes, date du Moyen Age.

Åre. Utsikt över Åresjön och Åre gamla kyrka.

Åre, a view of Lake Åre and the old church.

Åre. Aussicht über den Åresjö und die alte Kirche von Åre.

Åre. Vue sur le lac d'Åre et sur la vieille église d'Åre.

STORLIEN. Högfjällets turiststation.

STORLIEN. The Högfjället tourist station.

STORLIEN. Das Berghotel »Högfjällets Turiststation«.

STORLIEN. La station touristique « Högfjället ».

LINBANAN I ÅRE   SKI LIFT AT ÅRE   DIE SEILBAHN IN ÅRE   LE TÉLÉSIÈGE D'ÅRE.

Indalsälven vid Liden · The River Indalsälven at Liden.
Der Indalsälven bei Liden · L'Indalsälven à Liden.

 # MEDELPAD

— ligger utmed Bottniska viken, mitt i Sverige från norr till söder räknat. Landskapet genomflytes av de stora floderna Indalsälven och Ljungan, vid vilkas utlopp stora sågverk och träindustrier är belägna.

— This province lies along the Gulf of Bothnia, half way between northernmost and southernmost Sweden. It is crossed by the two large rivers, Indalsälven and Ljungan at whose estuaries are located the big saw mills and allied industries.

— liegt am Bottnischen Meerbusen und bildet die Mitte Schwedens, wenn man die gesamte Ausdehnung des Landes von Norden nach Süden berücksichtigt. Die Landschaft wird von den Strömen Indalsälven und Ljungan durchflossen, an deren Mündungen grosse Sägewerke und Holzindustrien liegen.

— longe le golfe de Bothnie, à égale distance de l'extrémité sud et nord de la Suède. Cette région est arrosée par deux grands fleuves, l'Indalsälven et la Ljungan, à leur embouchure sont installées d'importantes scieries et diverses industries du bois.

SUNDSVALL. Under den varma årstiden är Tranvikens havsbad på Alnö ett omtyckt utflyktsmål.

SUNDSVALL. A popular goal in the summer months is Tranviken's seaside resort with its sandy beach.

SUNDSVALL. In der warmen Jahreszeit ist das Strandbad Tranviken ein beliebtes Ausflugsziel.

SUNDSVALL. Pendant la période chaude de l'année, le bassin de Tranviken est un but d'excursion recherché.

SUNDSVALL. Alnöbron.

SUNDSVALL, the Alnö bridge.

SUNDSVALL. Die Alnöbrücke.

SUNDSVALL. Le pont d'Alnö.

SUNDSVALL. Från Norra Stadsberget har man en magnifik utsikt över staden.

SUNDSVALL. There is a fine panorama of the town from Norra Stadsberget.

SUNDSVALL. Vom Norra Stadsberget (Nördlichen Stadtberg) hat man eine grossartige Aussicht über die Stadt.

SUNDSVALL. De la hauteur du nord (Norra Stadsberget), vue magnifique sur la ville.

SUNDSVALL. Utsikt från Södra Stadsberget över Ortvikens fabriker och Alnö.

SUNDSVALL. View from the south of Stadsberget over Ortviken's factories and Alnö.

SUNDSVALL. Aussicht von Stadsberget über Ortvikens Fabriken und Alnö.

SUNDSVALL. Une vue de Södra Stadsberget sur les industries à Ortviken et Alnö.

Utsikt från Ringkalleberget i Nordingrå · View from Ringkalleberget in Nordingrå.
Blick vom Ringkalleberget in Nordingrå · Vue de Ringkalleberget, à Nordingrå.

 # ÅNGERMANLAND

— har en av vikar sönderskuren kust och inlandet är bergigt och skogsbevuxet. Genom landskapet flyter den mäktiga Ångermanälven, vars dalgång, Ådalen, är berömd för sin stora naturskönhet.

— has a coastline indented by bays and creeks, and the inland is mountainous and thickly-wooded. The mighty River Ångermanälven flows through the province, and its valley, Ådalen, is renowned for its natural beauty.

— hat eine von Buchten zerrissene Küste; sein Hinterland ist bergig und von Wäldern bedeckt. Die Landschaft wird von dem mächtigen Ångermanälven durchflossen, dessen Stromtal, Ådalen, wegen seiner Naturschönheit berühmt ist.

— a une côte découpée, et un arrière-pays montagneux et boisé. Le majestueux Ångermanälven le traverse, coulant au fond d'une vallée, l'Ådalen, dont la beauté est célèbre.

SANDÖBRON förenar i ett enda betongvalv Ångermanälvens båda stränder. Längd 1 650 meter.

WITH ONE CONCRETE ARCH, the Sandö Bridge joins the two shores of the River Ångermanälven. The bridge is 1,650 metres long.

DIE SANDÖBRÜCKE — Länge 1 650 m — verbindet mit einem einzigen Betonbogen die beiden Ufer des Ångermanälven.

LE PONT DE SANDÖ unit, d'une seule arche de béton, les deux rives du fleuve Ångermanälven. Il a 1 650 mètres de longueur.

KRAMFORS STAD är centrum för Ådalens träförädlingsdistrikt. Vi ser här en bild av stadens centrala del — Cityområdet.

KRAMFORS constitutes the heart of the wood-conversion district of Ådalen. Here is a picture of the City area — the centre of town.

KRAMFORS ist Mittelpunkt des Holzveredlungsgebiets von Ådalen. Hier ein Blick auf das Geschäftsviertel der Innenstadt.

LA VILLE DE KRAMFORS constitue le centre du district de transformation du bois de l'Ådalen. Voici une vue du centre de la ville.

ÅNGERMANLAND. Genom landskapet flyter den mäktiga Ångerman-
älven, vars dalgång, Ådalen, är berömd för sin stora naturskönhet.
Här ett motiv från Nordingrå.

ÅNGERMANLAND. Through this province flows the mighty River Ånger-
manälven whose valley, Ådalen, is renowned for its natural beauty.
Here is a view of Nordingrå.

ÅNGERMANLAND. Die Landschaft wird vom mächtigen Ångermanälven
durchflossen, dessen Stromtal, Ådalen, wegen seiner Naturschönheit
berühmt ist. Hier ein Motiv von Nordingrå.

ÅNGERMANLAND. A travers la région, coule le majestueux fleuve
Ångerman, dont la vallée, Ådalen, est réputée pour sa grande beauté
naturelle. Ici, un motif de Nordingrå.

ÖRNSKÖLDSVIK är huvudorten i Ångermanlands kustland. Från det som utsiktsberg berömda Varvsberget ser man här hamnen och södra delen av staden.

ÖRNSKÖLDSVIK is the principal centre of the Ångermanland coastal region. From Varvsberget hill one looks down at the harbour and the southern part of the town.

ÖRNSKÖLDSVIK ist der Hauptort des Küstenlandes Ångermanland. Von dem als Aussichtsberg berühmten Varvsberg sieht man hier den Hafen und den südlichen Teil der Stadt.

ÖRNSKÖLDSVIK, ville principale de la région côtière d'Ångermanland. De Varvsberget, hauteur panoramique réputée, on voit ici le port et la partie sud de la ville.

HÄRNÖSAND — residens- och stiftsstad. Domkyrkan med sin grekiska tempelfasad är uppförd i mitten av 1800-talet.

HÄRNÖSAND, county town and diocesan capital. The cathedral with its Grecian facade is built in the mid-nineteenth century.

HÄRNÖSAND — Residenz- und Stiftsstadt. Die Domkirche mit ihrer griechischen Tempelfassade stammt aus der Mitte des 19. Jh.

HÄRNÖSAND, résidence du Gouverneur de la province et ville épiscopale. La cathédrale, avec sa façade de temple grec, est du milieu du XIXe siècle.

Kåtafallet · The Kåta waterfall · Der Kåtafall · Les chutes de Kåta.

 # VÄSTERBOTTEN

— är låglänt utmed kusten vid Bottniska viken. Denna kustremsa, som är sönderskuren av vikar, har en bredd av mellan 50 och 100 kilometer, varefter ett betydligt högre liggande skogsområde tar vid.

— is a lowland province lying along the Gulf of Bothnia. This stretch of coast, broken by inlets, varies in width between 50 and 100 kilometres, after which the country rises and becomes wooded.

— ist längs seiner Küste am Bottnischen Meerbusen ein Tiefland. Dieser von Buchten zerrissene Küstenstreifen hat eine Breite von 50—100 Kilometern. Dahinter beginnt ein bedeutend höheres Waldgebiet.

— est un pays sans relief dans la partie qui borde le golfe de Bothnie. Cette bande côtière, très découpée, a une profondeur de 50 à 100 kilomètres. L'arrière-pays est considérablement plus boisé et élevé.

Umeå. Utsikt över älven och staden.

Umeå. View over river and town.

Umeå. Blick auf Fluss und Stadt.

Umeå. Vue sur le fleuve Ume et sur la ville.

Umeå. Gågatan.

Umeå. The pedestrian street.

Umeå. Die Gehestrasse.

Umeå. Le passage.

SKELLEFTEÅ. Stadshuset och Stads-
hotellet.

SKELLEFTEÅ. The Town Hall and the
Principal Hotel.

SKELLEFTEÅ. Das Stadthaus und das
Stadthotel.

SKELLEFTEÅ. — La Mairie et la Stads-
hotellet.

FRÅN SKOGARNAS DJUP till älvarnas vältor, via flodernas fåror, över forsar och fall eller genom flottningsrännor har timret nått sitt mål — sorteringsbommen. Här dirigeras de märkta stockarna till de olika sågverken.

FROM THE DEEP FORESTS to the babbling streams, on to swifty flowing rivers and through rapids, falls or chutes the timber finally reaches its goal — the sorting boom. Here, the marked logs are directed to the different sawmills.

AUS DER TIEFE DER WÄLDER über Seen und Flüsse und weiter die Stromschnellen und Wasserfälle oder die Flössrinnen hinab haben die Stämme das Sortierwehr erreicht. Hier im Scheidewerk werden sie nach Eigentümermarken sortiert und von Schleppern den Sägewerken zugeführt.

VENU DES PROFONDEURS DE LA FORÊT, descendant les fleuves de montagne, suivant le lit d'autres fleuves, bondissant dans les torrents et les chutes d'eau, ou glissant dans les canalisations de flottage le bois vient d'atteindre la barre de triage. C'est là qu'on répartit les troncs qui ont été marqués, pour les acheminer vers les différentes scieries.

Timmerkörning · Timber loading · Holzfahrer · Le charriage des troncs d'arbres.

NORRBOTTEN

— gränsar mot vårt finska grannland. Kustlandet liksom älvdalarna är gammal kulturbygd tack vare sin bördiga jord; inlandet eljest ödebygder med vidsträckta skogar och myrar.

— is on the boundary of Finland. The coast and valleys have long been inhabited because of the fertile soil there; inland, the province is a wilderness of extensive forests and marshes.

— grenzt an Finnland. Das Küstenland und die Flusstäler sind fruchtbar und daher alte Kulturlandschaft; das Hinterland dagegen ist eine Einöde mit ausgedehnten Waldungen und Mooren.

— est bordé à l'est par notre voisine la Finland. Le pays côtier, et les vallées de ses fleuves sont des terres de vieille culture, grâce à la fertilité du sol; le reste est assez sauvage, couvert de vastes forêts et de tourbières.

Piteå ligger vid Pite älvs mynningsfjärd ca 10 km från havet. Storgatan är huvudgata i staden med lockande varor i skyltfönstren.

Piteå is situated about 10 km from the sea by the River Pite. The display windows along the main thoroughfare, Storgatan, are filled with tempting merchandise.

Piteå liegt an der Mündungsbucht des Pite Älv, etwa 10 km vom Meer entfernt. Storgatan ist die Haupt- und Shoppingstrasse der Stadt.

Piteå est située à l'embouchure du fleuve Pite à environ 10 km de la mer. La « Storgatan » est la rue principale de la ville, avec ses vitrines aux marchandises alléchantes.

Pite Havsbad.

Pite bathing beach.

Pite Havsbad (Das Seebad von Piteå).

Pite Havsbad.

LULEÅ. Shoppingcentrum.

LULEÅ. Shopping centre.

LULEÅ. Das Kaufzentrum.

LULEÅ. Le centre commercial.

BODEN. Brännastrand och Överluleå kyrka.

BODEN. Brännastrand and Överluleå Church.

BODEN. Brännastrand und die Kirche von Överluleå.

BODEN. Brännastrand et l'église d'Överluleå.

HAPARANDA, vid Torne älv ligger på gränsen till Finland. 1/5 av befolkningen är finsktalande.

HAPARANDA, situated by the River Torne borders on Finland. One-fifth of the population is Finnish speaking.

HAPARANDA, am Torne Älv, liegt an der finnischen Grenze. Ein Fünftel der Bevölkerung hat Finnisch als Muttersprache.

HAPARANDA, près du fleuve Torne, est située à la frontière finlandaise. 1/5 de la population parle le finlandais.

Höstbålet tändes i fjällvärlden.
Autumn blazes in the mountains.
Es herbstelt im Hochgebirge.
La pleine féerie automnale embrase les versants montagneux.

LAPPLAND

— är sveriges nordligaste landskap. Det är de stora skogarnas och de karga viddernas land. Men skogarnas timmer, bergens malm och vattenfallens »vita kol» skänker landet rikedomar av oskattbart värde.

— is the most northerly of Swedish provinces. It is a region of vast forests and barren wastes, but the timber from the forests, ore from the mountains and "white coal" from the waterfalls provide riches of inestimable value.

— ist die nördlichste Landschaft Schwedens. Es ist das Land der grossen Wälder und der kargen Weiten. Das Holz seiner Wälder, das Erz seiner Berge und die »weisse Kohle« seiner Wasserfälle schenken dem Lande jedoch Reichtümer von unschätzbarem Wert.

— est la province la plus septentrionale de la Suède. C'est le pays des immenses forêts et des vastes espaces arides. Mais le bois des forêts, le minerai des montagnes et la houille blanche des chutes d'eau font la richesse du pays.

KIRUNA är världens till ytvidden största stad — lika stor som landskapet Uppland. Den är också vårt lands högst belägna med sina 506 m över havet. För sin uppkomst, sitt fortbestånd och sin utveckling har den exploateringen av järnmalmsfyndigheterna i Kiirunavaara och Luossavaara att tacka.

IN AREA, KIRUNA is the world's largest town — as big as the province of Uppland. At about 1670 feet above sea level it is also the highest town in Sweden. Kiruna has the exploitation of the iron ore deposits in Kiirunavaara and Luossavaara to thank for its birth, continued existence and development.

KIRUNA ist flächenmässig die grösste Stadt der Welt — ebenso gross wie die Landschaft Uppland. Sie ist auch die höchstgelegene Stadt Schwedens (506 m ü. d. M.). Ihr Entstehen, ihre Existenz und ihre Entwicklung verdankt sie dem Abbau der Eisenerzlager von Kiirunavaara und Luossavaara.

DE PAR SA SUPERFICIE, KIRUNA est la ville la plus vaste du monde ; elle égale en étendue la province d'Uppland, soit environ 12 650 km². Son altitude de 506 mètres au-dessus du niveau de la mer en fait la ville la plus élevée de la Suède. Sa naissance, son existence et son épanouissement, elle les doit à l'exploitation des gisements de minerai de fer de Kiirunavaara et de Luossavaara.

KIRUNA som blev stad 1948, omfattar hela den forna socknen Jukkasjärvi med bl.a. Kebnekajsemassivet och Torne träsk.

KIRUNA which became a city in 1948, comprises the whole of the former parish of Jukkasjärvi with, inter alia, the Kebnekajse mountain and the Torne marshes.

KIRUNA das 1948 zur Stadt erhoben wurde, erstreckt sich über den ganzen früheren Bezirk Jukkasjärvi, in dem unter anderem das Kebnekajsemassiv und der Torne-See liegen.

KIRUNA est devenu une ville en 1948 et comprend toute l'ancienne commune de Jukkasjärvi avec entre autre le massif du Kebnekajse et le lac Torne träsk (marais de Torne).

MIDNATTSSOLEN.

THE MIDNIGHT SUN.

DIE MITTERNACHTSSONNE.

LE SOLEIL DE MINUIT.

ÖVER TORNE TRÄSK ser vi silhuetten av Lapp-porten.

ACROSS LAKE TORNE TRÄSK, we see the silhouette of the Lapp-porten.

ÜBER DEM TORNE TRÄSK erblicken wir die Silhouette von Lapp-porten.

AU DELA DU LAC TORNE TRÄSK, se dessine la silhouette de la Lapp-porten ou Porte de Laponie.

MIDNATTSSOL över fjällsjön.　　　DIE MITTERNACHTSSONNE über dem Gebirgssee.

THE MIDNIGHT SUN on a mountain lake.　　LE SOLEIL DE MINUIT sur le lac des montagnes neigeuses

POLCIRKELN.

AT THE ARCTIC CIRCLE.

AM POLARKREIS.

AU CERCLE POLAIRE.

HÖST i Nikkaluokta.

AUTUMN IN NIKKALUOKTA.

HERBST IN NIKKALUOKTA.

L'AUTOMNE A NIKKALUOKTA.

MED DEN TÄMJDA RENOXEN har Samen blivit nomad.

WITH HIS DOMESTICATED REINDEER the Lapp has become a nomad.

DAS GEZÄHMTE RENTIER hat den Lappen zum Wanderhirten gemacht.

AVEC LEURS RENNES mâles apprivoisés les Lapons sont devenus nomades.

MÅNGA SKÖNHETSSYNER väntar vandraren i fjällvärlden — icke minst vid de många fjällsjöarna.

COUNTLESS SCENES OF BEAUTY await the rambler in the fells — especially beside the mountain lakes.

DIE GEBIRGSWELT ÜBERRASCHT den Wanderer mit ständig neuen, schönen Bildern — nicht zum wenigsten an den Gebirgsseen.

MAINTS TABLEAUX RAVISSANTS attendent le touriste en haute montagne — tout spécialement sur les rives des ses nombreux lacs.

RENSKÖTSELN fordrar mycket av sina utövare. Enbart märkningen, som försiggår inom ett inhägnat område, rengärdet, kräver hårda tag, då djuren skall infångas. Hjordinstinkten är väl utvecklad hos renarna. Plötsligt kan den tidlösa ron i fjällvärlden förbytas i en dånande lavin, då renhjorden blivit störd och anar en fara.

När snölegorna på fjällsluttningarna krymper, börjar renens sommarland i högfjällsområdet skymta, en sak, som både djur och människor säkerligen drömt om under den långa vistelsen i vinterlandet — skogsområdena vid kusten.

REINDEER BREEDING makes heavy demands on the herdsmen. The branding alone, which is carried out in an enclosed area, requires feats of strength in rounding up the animals. Reindeer posses a well-developed herd instinct. The timeless tranquillity of the mountain world can turn suddenly into a roaring avalanche when the herd is disturbed and senses danger.

When the snow masses on the mountain slopes begin to shrink, something can be glimpsed from the alpine world which both man and animal have surely dreamt about during their long sojourn in winterland — the forests along the coast.

DAS LEBEN DES RENNTIERZÜCHTERS ist nicht leicht. Allein das Kennzeichnen der Tiere, das in einem Gehege vorgenommen wird, erfordert eine harte Hand, vor allem beim Eingangen mit dem Lasso. Der Herdeninstinkt ist bei den Renntieren gut entwickelt. Die zeitlose Ruhe der Gebirgswelt kann sich plötzlich in eine donnernde Lawine verwandeln, wenn die Herde gestört wird und sich bedroht fühlt.

Wenn der Schnee an den Berghängen abschmilzt, kann es endlich in das Sommerland im Hochgebirge zurückgehen — wovon Menschen und Tiere während des langen Aufenthalts im Winterquartier der Küstenwälder gewiss sehnsüchtig geträumt haben.

L'ÉLEVAGE DU RENNE EXIGE beaucoup de ceux dont c'est le métier. Rien que le marquage pratiqué en enclos — le parc à rennes — demande du cran, attendu qu'il faut d'abord capturer les animaux. L'instinct de harde est très bien développé chez les rennes. Soudain et sans le moindre signe avant-coureur, le calme majestueux de la montagne se transforme en une tonnante avalanche dès que la harde s'inquiète et presse un danger.

Lorsqu'aux flancs des montagnes les fonds enneigés peu à peu disparaissent, naît alors le paysage d'été du renne en haute montagne ... un événement dont bêtes et gens ont sûrement rêvé durant leur long séjour en leurs quarties d'hiver : les régions boisées de la côte du Golfe de Bothnie.

Samekvinna i kåtan.

Lapp woman in her hut or "kåta".

Samenfrau im zelt.

Une Lapone dans sa hutte.

Samekvinna i kåtan.

Lapp woman in her hut or "kåta".

Samenfrau im zelt.

Une Lapone dans sa hutte.

Treriksröset. Gränsröset i den lilla sjön Koltajaure som utmärker den punkt där svenska, norska och finska gränserna mötas.

The Three Kingdoms boundary-cairn at Lake Koltajaure marks the meeting point of the Swedish, Norwegian and Finnish frontiers.

Treriksröset (Dreiländerecke). Grenzmarkierung in dem kleinen See Koltajaure, die den Punkt kennzeichnet, an dem die schwedische, norwegische und finnische Grenze zusammenläuft.

Treriksröset (Borne des trois royaumes). Borne sur le petit lac de Koltajaure marquant le point où convergent les frontières suédoise, norvégienne et finnoise.

DAGEN LÄGGER SIG TILL RO ... den djupa tystnaden talar ... om naturens outgrundliga storhet och eviga, färgrika kretslopp.

THE DAY IS AT REST ... a powerful silence speaks ... of Nature's unfathomable greatness and never-ending succession of colour.

DER TAG GEHT ZUR NEIGE — das grosse Schweigen breitet sich aus und legt Zeugnis ab von der unergründlichen Erhabenheit der Natur.

LE JOUR TOUCHE A SON TERME ... seul un majestueux silence nous parle ... de l'impénétrable magnificence da la nature et de son cours éternel aux nuances si riches en couleurs.

Wezäta Göteborg 1977